ポスト・プーチン論序説

# 「チェチェン化」するロシア

真野森作
Shinsaku Mano

TOYO SHOTEN SHINSHA

ポスト・プーチン論序説

「チェチェン化」するロシア——目次

## 第二部──「越境」するチェチェン

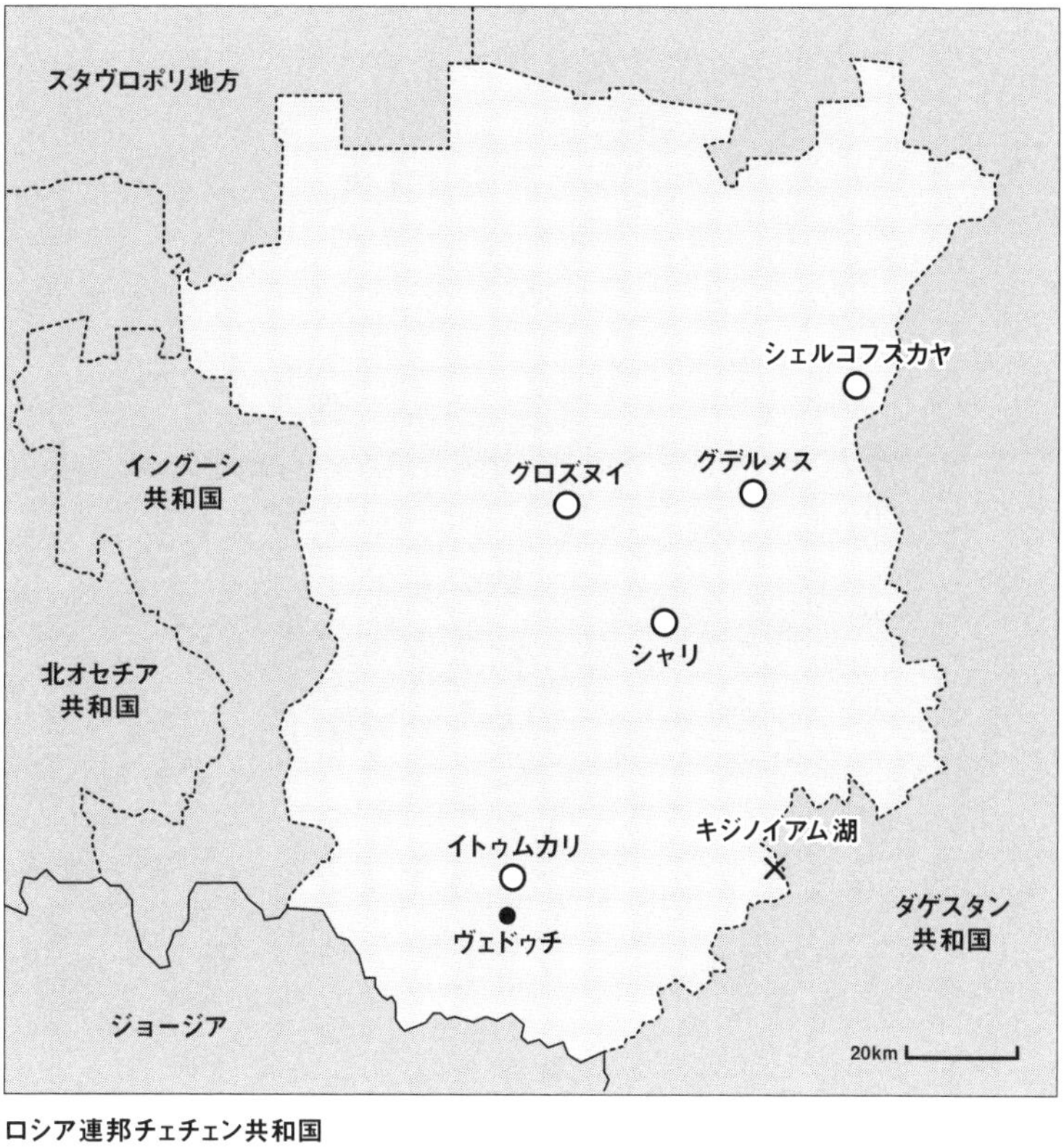


ロシア連邦チェチェン共和国

モスクワ
ロシア
ベラルーシ
ウクライナ
ヴォルゴグラード
カザフスタン
ドネツク
モルドヴァ
チェチェン共和国
クリミア半島
クラスノダール
セヴァストポリ
ソチ
黒海
カスピ海
ジョージア
アゼルバイジャン
アルメニア
トルコ
イラン
シリア
イラク
200km

チェチェン共和国周辺

# ポスト・プーチン論序説
# 「チェチェン化」するロシア

# 序章　プーチンとチェチェン

## プーチン政権二〇年とチェチェン

青空に向かってそびえる超高層のビル群、大理石をふんだんに使った壮麗な大モスク、頭にスカーフを巻いた女性たち――。石油や天然ガスの輸出で潤う湾岸アラブ諸国の主要都市のような景観が、ロシア連邦最南部の辺境の地にある。チェチェン共和国の首都グロズヌイである。見た目だけではない。首長ラムザン・カディロフの独裁政治が続き、社会が厳しく統制されている様もかなり似ている。体制に都合の良い形で民族の伝統とイスラム教とが強調され、ロシア連邦の一地方でありながら中央の統制はあまり及ばない。

ただ変わっているだけではない。人口百数十万人、岩手県と同程度の面積という小さなチェチェンは、ロシアの命運を左右してきた歴史がある。ロシア大統領ウラジーミル・プーチンが二〇〇〇年に最高権力を握る際の鍵となったのがチェチェンだった。今、停滞期に入ったプーチンのロシアにとっては将来の不安定要素の一つである。

「我々はあらゆる場所にテロリストたちを追い詰める。最後には便所でも奴らを捕まえ、ぶち殺す。それでようやく問題は解決される」

一九九九年九月二四日、訪問先のカザフスタンでの記者会見でプーチンが口にした言葉だ。当時、ロシア連邦保安庁長官から首相に抜擢されて一カ月しか経っておらず、ロシア国内でもほとんど無名の存在だった。この会見ではロシア軍が前日にグロズヌイへの空爆を始めた理由を問われ、こう答えたのだ。「便所でぶち殺す（直訳は便所で濡らす）」というマフィア用語も交えた荒々しい発言は国民に強烈な印象を与えた。

この頃、モスクワやロシア南部ダゲスタン共和国でアパートなどの爆破事件が相次いでいた。プーチンは爆破を「チェチェンの過激派武装勢力による連続テロ」と断定し、空爆開始に踏み切った。これが第二次チェチェン紛争の始まりとなる。身近な場所でのテロにおびえていたロシア市民にとっては、「仲間のように気さくで強い指導者」の登場だった。

紛争でチェチェン強硬派に対する掃討作戦が続くのと並行して、ロシア国内では病に疲れ切った大統領ボリス・エリツィンから四〇代後半と若いプーチンへの権力移譲が進む。九九年一二月三一日、エリツィンはテレビ演説で突如辞任を表明し、プーチンが大統領代行に就任した。

明くる二〇〇〇年元日にかけて、プーチンはチェチェン東部グデルメスへ飛んで前線で戦う軍人たちを激励し、自らの行動力をアピールした。チェチェンへの強硬姿勢が高い支持を集め、「便所」発言から半年後、〇〇年三月の大統領選挙でプーチンは初当選を果たす。以来、ロシアでは二〇年以上にわたってプーチン時代が続いている。

チェチェンこそがプーチン政権の原点なのだと私は考えている。第二次チェチェン紛争を通じて「ロシアを脅かす敵」と妥協無く闘う姿勢を示し、「戦果」も挙げて国民の強固な支持を獲得する。プーチンがこの紛争で成功したシンプルな手法は、その後も折に触れて繰り返されてきた。とりわけ顕著だったのは、二〇一四年のウクライナ危機だ。親欧米・反露勢力がロシア寄りだったヤヌコヴィチ政権を倒したことを受け、プーチンはウクライナの新政権を「敵」と設定する。ロシア系住民の多いウクライナ南部クリミア半島を武力も用いてロシア領に強行編入した「戦果」によって、政権の支持率は高騰した。この手法はロシア社会への統制強化も伴っている。エネルギー資源の輸出による富の分配で国民の歓心を買うのが次第に難しくなる

大統領代行への就任直後、ロシア軍の激励にチェチェンを訪れたプーチン
（グデルメス／2000年1月1日／Getty Images）

中、プーチン政権はチェチェン紛争当時の原点に回帰しているように見える。

ソ連崩壊後、ロシアからの独立を巡って一九九〇〜二〇〇〇年代に二度の激しい紛争が起きたチェチェン。その地は今、プーチンとの蜜月関係を築いたカディロフによる権威主義体制が強固となり、個人崇拝の傾向も垣間見える。連邦予算を用いた大量の復興事業やインフラ整備という「アメ」と、異論は許さない「ムチ」によって少なくとも表面上は人心を掌握した。ロシアの中で「内なる外国」とも評される特殊な地域となっている。

「プーチン氏にとって大事なのは忠誠と安定であり、チェチェン内部がどうであろうと関係ない」とロシアのある識者は語った。カディロフはプーチンに個人的忠誠を誓い、見返りに首長の地位と地域統治のフリーハンド、連邦予算の投入を得ている。紛争からの復興を遂げたチェチェンは着々と力を蓄えてきた。カディロフの傘下には数万人規模のチェチェン人実力部隊「カディロフツィ」が控え、連邦政府の統制は及ばない。それどころか首都モスクワにも拠点を置いて〝治外法権〟ぶりを発揮している。チェチェン内部ではプーチンへの忠誠やロシアに対する愛国心が強調される反面、イスラム教とカディロフへの個人崇拝が合わさった異色の文化が形成されつつある。ロシアが戦争当事国であるウクライナ紛争やシリア内戦に深く関与しているほか、ロシアの反プーチン派著名人らの暗殺事件でもチェチェン人の暗躍がうかがわれる。

プーチンは一八年に通算四度目の大統領当選を果たした。任期満了となる二四年には七二歳の誕生日を迎える。さらに二〇年七月のロシア憲法改正によって、その後も三六年まで大統領職にとどまる道が開かれた。事実上、終身大統領制に近い制度が整えられたのである。プーチンは八〇代の高齢になっても権力を握り続けるのだろうか。今回の改憲は「プーチン時代の終わりの始まり」と見るべきかもしれない。生身の人間がロシアの要石となっており、その動向は国際社会にも影響を及ぼす。ロシア国内では、プーチンの去就が最も大きく影響するとみられる地域がまさにチェチェンだ。カディロフとの忠誠関係が揺らいだときにチェチェンでは何が起きるか。力を蓄えたチェチェンの不安定化は紛争やテロ多発といったロシアにとっての悪夢の再来を引き起こしかねない。

筆者は一三年秋から一七年春まで毎日新聞モスクワ特派員としてロシアに駐在し、一五年六月にチェチェンを現地取材した。プーチン政権の今後にとって鍵となる地域とにらんだためだ。現地では首都グロズヌイのみならず、地方の山岳部にも足を延ばした。インタビュー対象はカディロフ政権の高官、イスラム教指導者、地方幹部、学者、元イスラム過激派戦闘員など多岐にわたる。特派員の三年半を通して蓄積した関連取材や帰国後の追加調査、二〇年春以降駐在している中東エジプトからの視点も活用し、プーチン政権の「火薬庫」である現代チェチェンの実態を浮き彫りにしたい。さらにそこから、ロシアの「チェチェン化」というべき現象にも迫る。それによって、今後のロシアを展望する際の一つの手がかりを提供できれば幸いだ。ポスト・プーチン時代はいつ訪れるのか。そして、ポスト・プーチンのロシアは果たしてどうなるのか。この二つのテーマに関する論考や研究はこれから増えていくだろう。内政、外交、軍事、経済など各分野で詳細な検討が必要になる。チェチェンという切り口を通じて、本書をその先駆けの一試論としたい。

## チェチェン略史

チェチェンの地勢と歴史をざっと紹介したい。チェチェンが位置するコーカサス地方は東のカスピ海と西の黒海に挟まれた地域で、中東世界とロシア欧州部とをつなぐ回廊のような形をしている。大コーカサス山脈によって南北に分けられ、北側はロシア領でチェチェンやダゲスタンなどロシア連邦を構成する共和国があり、南側にはジョージア（グルジア）、アゼルバイジャン、アルメニアの旧ソ連三カ国が存在する。そのさらに南はトルコとイランだ。古くから諸民族が暮らした土地で、チェチェン人はコーカサス最古の民族の一つとされる。伝説によるとルーツは中東のシリアやイラクの辺りとされ、古代に現在の地へやって来たという。イスラム教を受容したのは一七世紀以降と比較的最近のことで、「スーフィー」と呼ばれるスンニ派のイスラム教神秘主義の信仰が主流となった。近隣で暮らすイングーシ人は言語と文化の近い兄弟民族である。

古代から山岳民族として独自の暮らしを続けてきた彼らに、やがて領土拡張を目指すロシア帝国が迫ってくる。オスマン帝国との戦争を経て黒海への進出を果たした女帝エカテリーナ二世の治世下、一八世紀後半には北コーカサスにロシアの要塞が次々と築かれ、コサックの入植も始まった。対するチェチェン側はイスラム神秘主義教団の指導者シェイフ・マンスールが周囲の民族を糾合し、ロシアに抵抗した。一九世紀に入るとロシアの侵入はいよいよ本格化する。チェチェン人封じ込めを目的にコーカサス山脈中部北麓に建設された要塞の町こそ、後のグロズヌイである。ロシア軍は一八一六年、攻撃を開始してコーカサス戦争が始まる。チェチェン人らはイスラム指導者シャミーリを中心に結束し、ロシアに対する「ジハード（聖戦）」を粘り強く戦った。泥沼となって長期化したコーカサス戦争だが、一八五九年にシャミーリは遂に降伏した。チェチェンを含む北コーカサス全域がロシア帝国に併合されるが、その後も山岳部での抵抗は続いた。ロシア軍に追われ、数十万ものチェチェン人やダゲスタン人がオスマン帝国へ逃れていった。

一九世紀末に油田が発見されたグロズヌイでは石油化学産業が発展していく。一九一七年にロシア革命が起きると、チェチェン一帯もボリシェヴィキの赤衛軍、反革命の白衛軍、独立を目指す山岳民族の三勢力が乱れ争う戦場となる。最終的に二一年にはボリシェヴィキの支配下にチェチェン人も合流して「山岳ソヴィエト共和国」が創設されたが、長くは続かなかった。二二年に誕生したソ連の下、ロシア連邦社会主義共和国のチェチェン自治州という扱いを経て、三六年にチェチェン・イングーシ自治共和国となる。その後、ソ連の独裁者スターリンの大テロルはチェチェンをも襲い、大勢の知識人や指導層の人々が殺害された。

欧州で台頭したナチス・ドイツのソ連侵攻がチェチェンにとって新たな暗転となる。当時のチェチェンでは一部に独立を目指す動きもあり、ソ連指導部は厳しい懲罰を下した。スターリンの指示により、四四年二月、チェチェン人とイングーシ人は遠く中央アジアのカザフスタンなどへ強制移住させられた。スターリンによる民族まるごとの強制移住政策は、北コーカサス諸民族のみならず、ウクライナ南部のクリミア・タタール人や極東の朝鮮人など各地の少数民族を容赦なく襲っていた。チェチェン人たちは過酷な長旅と慣れない土地での暮らしに十数万人が命を落とす。故郷へ戻れたのはスターリンが五三年に死亡して数年を経た五七年以降だった。

チェチェンの運命が再び動き出すのはソ連末期である。ソ連最後の指導者ゴルバチョフがペレストロイカ（建て直し）とグラスノスチ（情報公開）を続けていた八九年、チェチェン・イングーシ自治共和国ではドク・ザヴガエフがチェチェン人として初の共産党第一書記に選ばれた。このころ、チェチェンでは石油産業による環境汚染への抗議運動から発展した民族運動が高揚していた。九〇年にチェチェン民族会議が開かれ、執行委員会議長にはソ連空軍の将軍だったジョハル・ドゥダエフが選ばれる。

そのドゥダエフは九一年六月、ソ連からのチェチェン独立の意思を表明する。同八月、ソ連大統領ゴルバチョフが軟禁されて退陣を迫られるクーデター未遂事件が発生。同じころ、チェチェンではドゥダエフ派が放送局や共和国最高会議ビルを襲撃し、ザヴガエフを退陣させて権力を奪取した。同一〇月にはロシアの圧力をはねのけて大統領選挙を実施し、ドゥダエフが圧勝する。当時のチェチェンは、ソ連を構成するロシア連邦共和国の下にある一自治共和国だった。余勢を駆ったドゥダエフは一一月、ロシアからの分離独立を宣言した。ロシア中央はこれを地方でのクーデターとみなし、財政支出の停止などで対抗した。この年の一二月、ソ連は崩壊する。

消滅したソ連はもとより、その中心となっていたロシアも多民族国家である。新生のロシア連邦としては、チェチェンの独立を許せば、他の連邦構成体の分離独立や自治権拡大の要求に火が付きかねない状況にあった。また、当時のチェチェンはカスピ海油田からの石油のパイプライン輸送ルート上にあり、権益確保のために重要だった。南コーカサスへ通じる交通と国防の要衝という側面もある。他方、一方的に独立を宣言したチェチェンだが内部は分裂していく。独立派はドゥダエフ派と反対派に分裂、チェチェン北部では親露派が台頭し、内戦状態に陥った。エリツィン政権は九四年一二月、独立阻止のため数万の軍を投じてチェチェンへの全面攻撃を開始した。第一次チェチェン紛争の勃発である。

短期決戦を見込んでいたロシア軍はやがてチェチェン側のゲリラ戦法に苦しむようになる。ロシア軍の死者も多数に上り、ロシア社会の厭戦《えんせん》感情が強まっていく。その背景には当時のロシア・メディアが自由な報道を展開していたこともあった。ミサイル攻撃によるドゥダエフの戦死でチェチェン側の戦闘意欲も低下し、停戦の機運が生まれる。九六年八月、両者は独立問題を五年間棚上げする「ハサヴユルト合意」に調印し、ロシア側の譲歩によって紛争はいったん終結した。戦死者はチェチェン側一〇万人、ロシア軍二万人などと推定され、数十万人の難民も生んだ。

九七年一月にはロシア軍の全面撤退が完了し、チェチェン共和国大統領選挙で独立穏健派の軍人アスラン・マスハドフが当選した。現実主義者のマスハドフはロシア連邦政府との対話姿勢を明確にしていた。これに対し、イスラム原理主義を奉じる強硬派は反ロシアのイスラム国家建設を目指し、両者は分裂していく。山岳部を拠点とする強硬派に対しては、アラブ諸国やアフガニスタンからのイスラム義勇兵が続々と支援に入った。

九九年八月上旬、事態は動き始める。強硬派が東隣のダゲスタン共和国を抱き込んだイスラム連合国家の創設を目指し、ダゲスタンへの侵攻を始めたのだ。続く八月末から九月中旬、モスクワやダゲスタンではアパートなどの爆破事件が相次ぎ、三〇〇人近い死者が出た。事件はロシア連邦保安庁（ＦＳＢ）が仕組んだ陰謀との説もあったが、ＦＳＢ長官から首相に転じたプーチンは一連の事件を「チェチェン強硬派によるテロ」と性急に断定し、掃討作戦に打って出た。同九月二三日にグロズヌイへの空爆を始め、第二次チェチェン紛争の火蓋が切られた。地上でもロシア軍部隊が侵攻し戦闘は激化していく。

連続爆破事件を受け、ロシア国民は今回のチェチェン侵攻を「テロとの戦い」とみて強く支持した。ロシア軍は空爆を多用し、九九年末には首都グロズヌイを制圧する。厳しい情報統制が敷かれた裏ではロシア兵による拷問や略奪も起きていた。チェチェンの強硬派武装勢力は南部の山岳地帯に籠もってゲリラ戦を続けた。一方のプーチンは〇〇年六月、チェチェンに暫定政府を設置する。その行政府長官には、独立派から親露派に転じたイスラム指導者アフマト・カディロフを任命した。これは政権の意に沿った一部のチェチェン人に地元の統治や強硬派の殲滅《せんめつ》を任せる方策の一環で「チェチェン紛争のチェチェン化」と呼ばれた。この後、チェチェンではカディロフ傘下の民兵組織による身代金目的の拘束が横行し、市民にとって厳しい時代が続いた。〇一年九月一一日、米国のニューヨークなどでイスラム過激派組織「アルカイダ」による同時多発テロが発生すると、プーチンはすかさず「テロとの戦い」での共闘を呼びかけ、チェチェン紛争下の人権侵害を巡る国際社会からの批判は弱まっていった。第二次紛争による死者はチェチェン側で一〇万人以上、ロシア軍一〇〇〇人超と言われるが正確なところは分かっていない。

二度の紛争の過程でチェチェン人が独立穏健派、強硬派、親露派などに分裂していった背景には、地理的・歴史的要素もあると指摘される。チェチェンには山地と平野、氏族、イスラム教神秘主義の二大教団など様々な断層が内包され、主導権争いが展開されてきた。北部の平野は農業地帯であり、伝統的に住民たちは近隣諸民族と良好な関係を培い、山岳地帯の住民と比べると親露的な意識も育まれたという。「テイプ」と呼ばれる氏族は父系の血縁集団であり、歴史的にチェチェン社会は一五〇前後のテイプを基盤に築かれていた。各テイプは長老たちの指導による平等な共同体を構成し、テイプ同士の競合もあった。ただ、現代ではテイプの位置づけは著しく低下しているという。一方、八〇年代以降はイスラム原理主義のワッハーブ派がサウジアラビアなどから徐々にチェチェンへ浸透し、新たな対立軸となった。

〇三年一〇月、アフマト・カディロフはロシア連邦の下でチェチェン共和国大統領に当選した。対するチェチェン強硬派の一部は域外で大規模な人質事件や爆弾テロを起こす。〇二年一〇月のモスクワ劇場占拠事件では、強行突入時に特殊部隊が使用した神経ガスによって人質に一〇〇人を超す犠牲者が出る。〇四年も二月のモスクワ地下鉄爆破テロ（四〇人以上死亡）、八月の旅客機爆破テロ（モスクワ発の二機の墜落で約九〇人死亡）と事件が相次ぐ。九月の北オセチア・ベスラン学校占拠事件では、教師や子供ら約一二〇〇人が人質に取られ、特殊部隊突入時の銃撃戦や爆発で約四〇〇人が死亡した。

親露派チェチェン政府を率いるアフマト・カディロフも〇四年五月に爆弾テロで倒れた。事件当時二七歳だった息子のラムザン・カディロフはプーチンの後ろ盾を得て実権を掌握していく。共和国首相を経て、〇七年に大統領を〝世襲〟した（後に首長に名称を変更）。〇九年四月、ロシア政府はチェチェンを対テロ作戦地域から外す。カディロフによる強権支配は年を追うごとに深まっていった。

## 各章の紹介

ここで全二部、計八章からなる本書の構成を紹介する。第一部（一～三章）ではチェチェンの特殊な内部構造を探る。鍵となる概念が「求心力」と「遠心力」だ。プーチンとの個人的紐帯を肝とするカディロフのチェチェンは、ときに過剰なまでにロシア中央に同調し、プーチンへの支持や愛国主義を強調する。これを求心力と定義する。他方、現代チェチェンのあり方はロシアのほかの地域とは大きく異なっており、カディロフの指揮の下でさらに異質の方向へと突き進んでいる。これを遠心力と定義したい。カディロフを中心として二つの力が同時に強く作用し、紛争後のチェチェンは変化してきた。

第一章では、首都グロズヌイを歩き、個人崇拝の傾向などカディロフの藩王国のようになっている現地の実情やカディロフの人物像を探る。また、ロシアの愛国バイク集団「夜の狼」の支部を通して、プーチン政権の愛国路線に接近を図るチェチェンの姿、その求心力を描く。

第二章では、チェチェンの異質さ、その遠心力に迫る。カディロフはチェチェンの伝統やイスラム教を自身の支配の正当化に利用している。チェチェンのイスラム指導者やロシアの人権活動家へのインタビューを交えて、異質さの内実を探る。そこでは独自の武装集団カディロフツィや謎の基金が大きな役割を果たしている。

第三章ではチェチェンの戦災復興の実態を確かめる。補助金に支えられた戦後チェチェン経済のからくりを解き明かしつつ、人々の心から消えない紛争の傷痕を世代別に確認する。また、経済の新たな屋台骨として期待される観光産業について、山岳部のリゾート開発現場を訪ね、「薔薇《ばら》色の未来」の実現は容易ではない現実を追う。

第二部（四～六章）では現代チェチェンが域外へ及ぼす無視できない影響を探究する。

第四章は、ロシア国内外で相次ぐチェチェンがらみの暗殺事件を取り上げる。その背後にあるのは、暴力による統治、暴力によるプーチンへの〝奉仕〟を常用するカディロフ体制の影だ。国家レベルの暴力に染まったチェチェンでは、イスラム過激派のテロもやまない。その皮肉な連鎖についても考える。

第五章は、紛争と縁が切れないチェチェンについて考察する。ロシアが軍事介入するシリア内戦やウクライナ紛争にはチェチェン人たちの姿がある。チェチェン紛争当時さながらに、親露、反露に分かれて同じ民族同士で戦う場面も生じている。彼らがなぜ利用されるのか、構造的な要因を探る。そこにはチェチェン内部の矛盾も多分に影響を与えている。

第六章は、チェチェンの過激さがロシア全体に与える影響、すなわちロシアの「チェチェン化」というべき現象を検証する。ロシアでは愛国路線が強まり、社会への統制が年々厳しくなっている。ロシア全体をより強権的な方向へと引っ張っているのが、カディロフ率いるチェチェンではないか。

二〇二〇年、政権掌握二〇年を迎えたプーチンは迷走の末に憲法を改正し、事実上の終身大統領制へ一歩を踏み出した。終章では、プーチンの判断の謎を探り、先延ばしされたポスト・

プーチン時代について考える。さらに、ロシアで起きつつある社会の変化とその将来を展望する。

※文中の年齢、肩書と通貨レート（一ロシア・ルーブル＝約二円）は基本的に取材当時。敬称は略した。取材はロシア語と一部英語で行った。各章の写真のうち、「毎日新聞社」名義のものは筆者が撮影した。

# 第一部

## カディロフのチェチェン

# 第一章　カディロフの「藩王国」

## プーチンとカディロフ

プーチン「ラムザン・アフマトヴィチ、（チェチェン中部シャリでの）新モスクの落成式典はどうだった？」
カディロフ「ウラジーミル・ウラジーミロヴィチ、お祝いと支援をありがとうございます。この機会に学者やイスラム指導者からの感謝の言葉を伝えたい。彼らはあなたがイスラム世界を支援していることへの感謝の言葉を伝えるよう私に要望しました」
プーチン「そのモスクは実際に欧州最大なのかな？」
カディロフ「はい、最大です。そして世界で最も美しいモスクです」
プーチン「世界で最も美しいのはペテルブルグにあるモスクだ」
カディロフ「あなたと議論するわけには参りません。さて、かつてあなたがチェチェンを訪問されたのは、我々が深刻な問題を抱えている時期でした。しかし、あなたのおかげで私たちの生活は一変しました。私たちは共和国を復興し、経済は絶好調です。チェチェンでは全ての社会問題が解決されました。あなたの都合が良い時にいつでも訪ねていただきたいと思います」

プーチン「確かに私は長いことチェチェンへ行っていない。行きたいと思っているし、必ず行くことになる。私は共和国が良いテンポで発展していることを知っている。私たち二人はチェチェンが以前どんな状態だったかを忘れていない。状況は抜本的に変わった。チェチェン市民の努力と才能の賜物であり、あなたの粘り強い努力の結果だ。あなたの父上が全人生を捧げたのと同じように、あなたもチェチェンに奉仕している。(現地を訪ねたら)私はチェチェンがいかに発展しているかを喜んで眺めるだろう」

モスクワ郊外ノヴォ・オガリョヴォの大統領公邸にて二〇一九年八月末にあった両者の実務会談の一部である。公式記録の短いやりとりの中にも二人の忠誠関係や、プーチンがチェチェン統治をカディロフに一任している様子を垣間見ることができる。ちなみにプーチンが言及したのは故郷サンクトペテルブルグにある大モスクのことだろう。空色のドーム屋根を持った二〇世紀初頭の歴史的建造物である。カディロフはこのやりとりに続けてチェチェンの失業率や域内総生産、出生率の数字を挙げ、自らの統治の成果をアピールした。

二人の付き合いは長い。カディロフは〇七年にチェチェンのトップに就任し、八三あるロシアの連邦構成体（国際的には認められないクリミア半島の二構成体を除く）の首長としては、モスクワ市長のソビャーニン（一〇年就任）らと並んで異例の長期間にわたって重責を任されている。プーチンの胸三寸で解任される知事も珍しくない中、特異な地位が保たれている。

本章では、カディロフの人物像やプーチンとの関係性を解き明かしつつ、ロシア中央の愛国路線と同調するチェチェンの「求心力」の内側に迫る。チェチェンに精通するロシアのイスラム研究者の見方もカディロフ体制を理解していく助けとなるだろう。

プーチンとカディロフの関係が強固になっていったのは、〇四年五月九日からと見て間違いないはずだ。ロシアでは対ドイツ戦勝記念日として祝われるこの日、カディロフの父でチェチェン共和国大統領だったアフマトが殺害された。グロズヌイの競技場での戦勝記念式典に臨席した際に仕掛け爆弾が作動し、即死だった。アフマトを含む七人が死亡、六〇人以上が負傷という惨事になり、チェチェン独立派の中の強硬派指導者として知られるシャミール・バサエフが犯行声明を出した。ただし、厳重な警備が敷かれた会場での爆弾テロに対して、ロシアの治安当局の関与を疑う見方も一部では存在する。思い通りに動かないアフマト・カディロフが邪魔になったために処分したとの説だ。

テロ当日、プーチンは父親を失ったカディロフをクレムリンに招いている。「過去四年間、彼は立派に勇敢に任務を遂行した。真に英雄的な人物だった」と追悼の言葉をかけ、涙ぐむカディロフを抱きしめた。当時のカディロフは二七歳の若さだったが、わずか三年後にチェチェン共和国大統領の立場を事実上世襲したのである（一〇年から「大統領はロシアに一人だけ」として共和国首長に名称変更）。

カディロフの足跡をおさえておこう。彼はアフマトの次男として一九七六年一〇月五日、グロズヌイから東へ約五〇キロの旧ツェンタロイ村（二〇一九年にアフマト・ユルトへ改称）で生まれた。九四年に一八歳で父親の護衛チームの副長、九六年には独立派の「チェチェン・イチケリア共和国」のムフティー（イスラム指導者）に任命された父親の補佐役となる。第一次チェチェン紛争（九四～九六年）ではロシア連邦軍と戦った。

九九年にプーチンの指揮で第二次チェチェン紛争が始まる。この年、父親と共に独立派とたもとを分かち、親露派に転向した。翌年には警察入りし、親露派の共和国行政長官（〇三年から大統領）となった父親の警護の指揮や、敵対戦闘員に投降を迫る交渉などにあたった。〇四年二月に共和国・内相補佐官へ就任し、その三カ月後に父アフマトの爆殺事件が起きたのである。その直後、兄ゼリムハンも交通事故の後遺症とみられる心臓発作で死亡している。

その後のカディロフの職歴はめまぐるしい。事件翌日に共和国第一副首相に就任し、同年一〇月には南部連邦管区大統領全権代表の顧問も任された。さらに〇五年一一月、共和国首相が交通事故で重傷を負ったため、首相代行を務めることになる。〇六年三月からは正式に首相となり、〇七年二月に大統領代行、プーチンの推薦と共和国議会の承認を得て同年四月から正式な共和国大統領となった。父アフマトの死亡時、カディロフは若すぎたため、箔《はく》のつく役職を複数経験させてからチェチェン・トップに引き上げる――。プーチン政権のそんなプランが想像される。この間、〇四年末にはプーチンから「ロシア連邦英雄」という最高ランクの栄誉称号も与えられた。

二人の間では封建社会における「御恩と奉公」のような関係が続いている。主君が所領などの恩恵を与えるのに対して、家臣は軍事義務などの奉仕を行う関係だ。プーチンによる厚遇に対し、カディロフは忠誠心を示すメッセージを折に触れて発している。例えば一七年末にプーチンが翌年の大統領選出馬を表明した直後には、自身のSNS（インターネット上の交流サービス）に次のように書き込んだ。「プーチン氏は我が国を発展へと導く力のある政治家だ。崩壊したロシアを復興させ、一つにまとめ上げた。彼だけが欧米の卑怯な攻撃に対抗できる。ロシア国民はプーチン氏を断固として支持するだろう」。絶賛である。二人の関係は御恩と奉公よりさらにウエットと見るべきかもしれない。

ロシア内政に精通する政治アナリストのアレクセイ・ムーヒンは「カディロフはプーチンにとっての最大の弱点だ」と分析する。「彼らは非常に良好な関係を有している。カディロフは息子のいないプーチンの息子役を演じることでプーチンにつけ込んでいる。プーチンは彼に対して父親としての感情を抱いており、カディロフはそれを利用している。彼の数々の問題発言が責任を問われないのもそのためだ」。プーチンがカディロフに委ねたロシア国内の「藩王国」とでも言うべき現代のチェチェン共和国。そこは一体どんな世界なのか。一五年六月、私は現地へと飛んだ。

## 復興都市グロズヌイを歩く

飛行機内からタラップへ一歩足を踏み出すと、密度の濃いむっとした熱気に包まれた。時刻は午後五時を過ぎているが、空は明るく気温は三五度もある。チェチェン共和国の首都グロズヌイ。大コーカサス山脈の北麓に位置し、多少涼しいのではとみた私の予想はあっさり裏切られた。グロズヌイは標高一三〇メートルに過ぎず、ほぼ平地だ。テレク川の支流スンジャ川が流れている。

私はこの日の昼下がり、モスクワからグロズヌイ航空の直行便に乗り込んだ。〇七年にカディロフの指示で創設されたばかりの新興エアラインである（業績不振で一六年に廃業）。機材は旧ソ連のジェット旅客機ヤク42。青い制服の客室乗務員は同色のスカーフで髪の毛を覆う。主にロシア正教が信仰される国内の他地域とは異なり、チェチェンはイスラム圏だからだ。約二時間の空路の終盤に窓から地上を眺めると、大地はなだらかに起伏して防風林に四角く区切られた畑地が続いていた。

到着したグロズヌイ空港は〇六年秋に再建されたもので、紛争の痕跡はない。飛行機から降りて最初に目に飛び込むのは、ターミナルビルの外壁に掲げられた二人の人物の肖像写真である。故アフマト・カディロフと、もう一人はプーチンだ。反対側の外壁にはロシア語でこんなフレーズが大きく掲げられていた。〈私の武器は真実である。この武器の前ではいかなる軍隊も無力なり　アフマト・カディロフ〉

ターミナルビルを出た正面には黄金ドームのモスクがあり、モスクワとは異なる文化圏に入ったことを強く意識させる。現地ではアフマトの息子ラムザン・カディロフによる支配が続く。イスラム文化と合わせて、独裁国家のトルクメニスタンなど中央アジア諸国とも似た面がありそうだ。ロシアの専門家たちは「チェチェンはロシアの『内なる外国』」と見る。それが正しいのか否か、自分の目で確かめてみたい。

タクシーで市中心部へ向かう。運転手の男性は「ここでは仕事があればいいが、そうでなきゃ……」と口を濁した。カディロフの言葉とは裏腹に景気はさほど良くないという。車窓から見かける女性たちのスカーフの付け方はさまざまだ。イスラム教でいうヒジャブである。髪の毛を全て布の中に隠す人もいれば、後頭部だけスカーフで押さえている人もいる。その違いは各家庭を仕切る男性の考え方次第とされる。黒衣で全身を隠す女性もおり、これは厳格なイスラム教信仰で知られるサウジアラビアの影響という。

通り沿いにはところどころロシア国旗とチェチェン共和国旗とが掲げられている。チェチェンの旗は上から緑、白、赤の三色旗で、その幅の割合は六五、一〇、三五と決まっている。旗の左端には垂直に白い帯が配され、そこにはチェチェンを象徴する黄金色の渦巻き紋様が四つ配されている。旗の色が意味するところは、緑はイスラム信仰の伝統と大地の豊穣、白は善き考えと平和への希求、赤はチェチェン人の勇敢さ、黄金色は永遠と富の象徴という。

日は西に傾いてきたが、子供たちは自転車で走り回っている。チェチェンを含むイスラム圏はラマダン（断食月）に入っていた。人々は日没後、ようやく食事を口にすることができる。ホテルに荷物を置いて少し街を歩く。四、五階建ての低層建築が軒を連ね、花壇や中央分離帯の緑が目に優しい。物乞いをする漂泊のロマたちもいる。どこにでもあるロシアの地方都市の風情だが、くるぶしまである長いワンピースとスカーフ姿の女性たちとすれ違うと中東に近いような異文化を感じる。ズボン姿の女性はほとんど見かけない。今回の取材旅行では万一に備え、モスクワ支局助手のオクサナ・ラズモフスカヤに同行してもらった。彼女と一緒に道端で立ち話した住民によると、当地では子供のうちから学校や幼稚園でイスラムの聖典「コーラン」について学んでいる。

イスラムの教えに従い、裾の長いワンピースとスカーフ姿で街をそぞろ歩くチェチェン人女性たち（グロズヌイ／2015年6月22日／毎日新聞社）

立派な劇場や博物館を眺めながら進むと、「プロスペクト・プーチナ（プーチン大通り）」の標識に行き当たった。これといって特徴もない道路だが、中心部の通りの名前としては象徴的だ。市内ではいくつかの建物の壁にアフマト・カディロフやプーチンの肖像写真が掲げてあった。ロシアの他都市では目にしない光景だ。ふと目を上げると、新築の高層ビル群「グロズヌイ・シティー」が威容を誇る。この街ではどこを歩いても紛争の痕跡はきれいに消されている。

戦災復興都市グロズヌイには「カディロフの藩王国」としてのチェチェンを体感するのに必須の場所

がある。それは二〇一〇年に完成したアフマト・ハッジ・カディロフ博物館だ。ハッジとはイスラム信仰上の義務である聖地メッカへの巡礼を済ませた信徒への敬称である。

半地下構造の博物館はドーム屋根上にある黄金色の尖塔が天を突き、遠くからでもよく目立つ。一帯は五ヘクタールの広さを持つ「A・カディロフ記念　栄光メモリアル・コンプレックス」とされており、手前の広場には民族衣装姿で馬にまたがり刀を高く掲げた男性の銅像が建つ。第二次大戦時にソ連の赤軍で活躍したチェチェン軍人モヴリド・ヴィサイトフの像だ。当時、ソ連指導者スターリンはチェチェン人を敵性民族としていたため、死後の九〇年になってようやく「ソ連英雄」の称号を贈られたという。アフマトも死後に「ロシア連邦英雄」の称号をプーチンから与えられた。

浮き彫りが施された重厚な木の扉を開いて博物館内へ入る。ドームの下は三階分ほどの広い吹き抜けとなっており、天井も柱も白で統一され、巨大なシャンデリアに圧倒される。ところどころ金色の装飾が施され、王宮のような豪壮さである。館内の展示はいくつかに分かれているが、その中心は宗教家であり政治家であったアフマトの足跡をたどるものだ。数々の写真パネルや帽子、コーランなどの愛用品が並び、共和国大統領当時の執務室を再現したコーナーもある。

展示写真には息子のラムザンも多数露出しており、「正統な後継者」と印象づける狙いが感

アフマト・カディロフを顕彰する博物館に掲げられたアフマト（左）と息子ラムザンが並んだ写真（グロズヌイ／2015年6月23日／毎日新聞社）

じられる。特に興味深いのがカディロフ家三世代を油彩で描いた等身大の肖像画だ。祖父アブドゥルハミド、父アフマト、そしてラムザンが山谷を背景として伝統衣装に身を包み、来場者を睥睨《へいげい》する。その姿は、円筒形の毛皮帽、弾薬の入った筒が胸に並ぶチェルケス服、日本のかみしものように肩を強調した羊毛の長い外套である。コーカサス諸民族の男たちは似た装いを身に付けてきた。カディロフ家関連以外の展示では、第二次大戦やソ連時代のアフガニスタン侵攻で活躍した地元の軍人たちの紹介にも力が注がれている。チェチェンの「英雄」の数々を並べた上で、最大の英雄としてアフマトを紹介し、その後継者としてのラムザン・カディロフを示す狙いがうかがえた。父親を神格化することで自らへの個人崇拝を強化したいのだろう。入り口近くには彼本人の巨大な肖像写真が飾ってあった。

アフマト・カディロフを顕彰する博物館に掲げられたラムザン・カディロフの肖像（グロズヌイ／2015年6月23日／毎日新聞社）

## 愛国バイク集団「夜の狼」

ラマダンのグロズヌイに夜が訪れた。むっとする暑さは和らぎ、子供たちはピンク色や水色の光に照らされた噴水の周りで駆け回っている。手には赤や青の風船。背後の摩天楼は七色の電飾に縁取られ、一棟の壁面には電光表示のキリル文字が下から上へ流れていく。「私たちは預言者ムハンマドを愛する」とロシア語で表示された。亡きアフマト・カディロフの電光肖像も現れては消えていく。湿気があるせいか、羽虫と蚊が少しうるさい。右手で蚊柱を払いながら白色に輝く大モスク「セルツェ・チェチェニ（チェチェンの心臓）」の方へと向う。モスク前の広場に六、七台の大型バイクと男たちの影が見えてきた。どのバイクも新品同然で滑らかに光を反射している。

つばのない黒のイスラム帽をかぶり、ひげ面の一人が軽く手を上げた。彼らはロシアのバイク集団「夜の狼（ナチヌイエ・ヴォルキ）」のチェチェン支部メンバーである。チェチェンのカディロフ支持者とロシア中央の親プーチン勢力とを在野で結ぶ存在――と私はにらんでいた。支部はこの五月下旬に開設されたばかりだった。「夜の狼」とはいかなる集団なのか、そのチェチェン支部創設にどれほどの意味があるのか。現地入り前にモスクワで触れた「夜の狼」本部の姿をまず紹介する必要があるだろう。

首筋にのぞく狼の入れ墨、がっちりした体格に不敵なひげ面、背中に垂らした黒い長髪。黒革のベストの右胸には狼をかたどった金属製の記章が鈍く光る。「夜の狼」の総裁アレクサンドル・ザルドスタノフ（五二）は一五年五月中旬、モスクワ中心部のタス通信本社記者会見場に姿を現した。医師の資格を持ち、「ヒルルグ（外科医）」のあだ名で呼ばれている。ヤマハ製大型バイク「ＶＭＡＸ」などを愛用し、革ベストの左胸には双頭の鷲の「栄誉勲章」が揺れる。この二年前、「愛国的な青少年の育成に貢献した」としてプーチンから直接授与されたものだ。一四年のウクライナ危機発生後、政権支持集会の発起人にも名を連ね、同年一二月には、自らが八九年に創設したバイク集団ともども米国の制裁対象リストに加えられた。

「我々の敵は攻撃の矛先を『勝利』にまで向けてきた」。会見席の中央に陣取った強面のリーダーが憤りに満ちた表情で口を開く。当時、五月九日のロシアの対独戦勝記念日を巡って、欧州諸国政府との間でトラブルが起きていた。「夜の狼」はこの年の

「夜の狼」総裁ザルドスタノフ（右）と談笑するプーチン（ウクライナ南部クリミア半島セヴァストポリ／2017年8月18日／Getty Images）

四月下旬から五月上旬にかけて、戦勝七〇年を記念するモスクワ―ベルリン間のバイク走行「勝利の道」を企画していた。メンバー十数人で各地のソ連兵の慰霊碑をたどり、戦勝記念日の九日にはナチス・ドイツからのベルリン解放を顕彰した現地のモニュメントで献花するというものだ。だが、これが欧露間の外交問題に発展した。ポーランドとドイツでメンバーが入国拒否され、ロシア外務省は抗議の声明を発表する。欧州側の両政府は「ビザ申請書類に不備があった」として、あくまで手続き上の問題と主張した。

「夜の狼」のメンバーは黒い革ジャケットに入れ墨、金属製アクセサリーなど自由や反権力を連想させる無頼な装いをしている。だが、実際には反権力とは対極の存在だ。プーチン政権と極めて近いグループであり、主催イベントにプーチンが参加してバイクにまたがってみせたこともある。ロシアが一四年から軍事介入を続けるウクライナ情勢を背景に、欧州連合（ＥＵ）加盟国の多くが「彼らのベルリン行きは挑発的」と不快感を示していた。

実際、「夜の狼」はウクライナ情勢に関してもプーチン政権の意向に沿った「愛国的行動」をとっている。一四年三月のロシアによるクリミア強行編入の前には、現地入りしたメンバーが地元の親露派勢力による行政庁舎の占拠に加わった。その後はウクライナ東部の親露派支配地域に支援物資を送るなどの形で深く関与してきた。プーチン政権が国際社会へ向けて「ロシア軍は一切介入しておらず、現地にいるのはロシア人義勇兵のみ」と虚偽の主張を続ける中、その義勇兵の代表例としての役割を演じた。

ザルドスタノフは記者会見で興味深い発言をした。「五月九日の記念日は我々にとって『キリストの復活』によく似ている。時間を巻き戻して、（対独戦終盤にベルリンへ攻め込んだソ連軍によって）ドイツ国会の屋根に掲げられた赤旗を眺めたとしたら、まるでキリスト到来のしるしに見えたことだろう」と。無神論のソ連と伝統的なロシア正教とを合体させて神聖視するような、奇妙な言説である。だが、一二年の大統領再任以来、愛国主義的な政策を強化してきたプーチン政権下のロシアではこれも「あり」なのだ。ロシア正教も、かつての強大国・ソ連のイメージも、共に現代ロシアで愛国心の鼓舞に役立つからだ。ロシアにとって自らの歴史的正義をアピールする重要な意味を持った戦勝七〇年の五月九日、プーチンや招待客のザルドスタノフらはモスクワの赤の広場で軍事パレードを見つめた。その先頭には、儀仗兵の掲げる赤旗が翻っていた。

これが「夜の狼」の姿であり、プーチン政権との親密さは明白だ。ウクライナ危機以降、プーチン政権は愛国心の喚起によって支持率を向上・維持させるのに躍起となっていく。かつてのように原油価格高騰の恩恵で国民の歓心を買うことが難しくなったからだ。愛国心の喚起は簡単な作業ではない。一四年三月のクリミア編入で沸き立ったプーチン支持の世論もやがて、財政難による年金受給年齢引き上げなど厳しい現実に直面すると急速にしぼんだ。ロシアでは「夜の狼」メンバーのようなマッチョな男たちがもてはやされる。政治エリートとは違った側面から大衆のプーチン支持を盛り立てる勢力が政権には必要に違いない。私は、「夜の狼」こそがその役割を担っていると考えている。ザルドスタノフが勲章を授与されたのも、政権支持高揚の活動に励んだからとみて間違いあるまい。

その推論を裏付ける出来事が一九年八月にあった。プーチンが「夜の狼」のメンバーと一緒に、自らバイクのハンドルを握ってクリミア半島をツーリングしたのだ。プーチン政権においてクリミアは愛国心を象徴する舞台のように扱われている。「夜の狼」はクリミア半島南部の軍都セヴァストポリで、編入以来毎夏、愛国的テーマによる「バイク・ショー」を開いてきた。黒い革ジャンを着たプーチンがまたがるバイクの後部にはロシア国旗が翻り、サイドカーには「クリミア共和国首長」のセルゲイ・アクショーノフが乗り込んだ。バイクはロ

ロシアの愛国バイク集団「夜の狼」メンバーと記念撮影するプーチン（前列中央／ウクライナ南部クリミア半島／2019年8月10日／ロシア大統領府ホームページ）

シアのウラル社製だ。「夜の狼」総裁のザルドスタノフが隣を走り、チェチェン支部メンバーの姿もあった。セヴァストポリにたどり着くと、プーチンは「このように勇ましく素晴らしい男たちが、祖国への向き合い方の手本を若者に示していることは本当に喜ばしい」とメンバーを称賛した。

## 「夜の狼」チェチェン支部

一五年夏、ラマダンの夜のチェチェンへ戻ろう。イスラム帽をかぶった筋肉質の男が「夜の狼」チェチェン支部リーダーだった。総裁のザルドスタノフらと同じく分厚い革ベストを着ている。黒の帽子、黒のベスト、黒Tシャツと全身黒ずくめだ。彼の名はアリビー・ムタエフ(三五)。仲間からは信頼できる男だからと「ムッラー」(イスラム学識者)のあだ名で呼ばれている。自動車修理工のかたわら週二回は運転手として働く。濃い眉毛の下でぎょろっとした目がこちらを見つめ、ざっくばらんに口を開いた。「今日はとても暑いね。朝七時から午後三時までハンドルを握って働いていた。私は愛国者だからソ連製の車に乗っているがエアコンはついていない。だが、それでいいんだ」

支部設立の経緯について確かめたい。どのように発足し、カディロフはどれほど関与しているのか。

ムタエフは熱心に語り始めた。「チェチェンには他のバイク・クラブもあったけれど、我々は『夜の狼』がどれほど愛国的に国家と市民に接しているかを知って興味を持っていました。その後、彼らがツーリングでチェチェンにやって来たのです。その際、ラムザン・アフマトヴィチが総裁と親しくなり、彼が主唱して支部設立の決定がなされた。彼ご自身やグロズヌイ市長もこの運動に加わっています」

「ラムザン・アフマトヴィチ」とは名前と父称を並べたロシア語式の敬称である。カディロフの意をくんだ支部設立というわけだ。

「共和国首長が加入したとなれば、多くの人が関心を持つ。加入希望者はたくさんいるが、これは真剣なメンバーによる真剣なクラブです。そう簡単にはいきません。試用期間を経る必要がある。現在メンバーは二〇人ほどいます」。ムタエフはバイクのハンドルに手をかけ、生真面目な表情で話を続ける。「全てはクラブ規則に基づく。ただ、近い将来には我々にとってより快適な規則を提示する必要があります。我々は国内外に約八〇ある『狼』の支部で初めてのムスリムの支部ですからね。このクラブが今後どうなるかはインシャッラー（神のおぼし召し次第）」

支部メンバーは二〇代後半から四〇代後半の男たちで、練達のバイク乗りがそろっているという。いかつい装いだが、ムタエフは「不真面目なことは許容しない」とあくまで堅い。

——目指すところは？

「我々は以前と変わらず単なるバイク乗りです。ただ、真剣なメンバーが所属する真剣なクラブであって、ロシアの国家と国民に対して真剣に向き合っている。そういったイベントや行動を実践している」

ムタエフは「真剣」という言葉を繰り返す。

——グロズヌイに支部ができたことは何を意味する？

「我々にとって非常に重要な出来事です。世界中で知られているクラブに加入したのです。つい最近まで、我々チェチェン人がロシア全国をツーリングするのは困難だった。チェチェンに関する様々なうわさなどのためです。いま大事なのは、『狼』のメンバー全員と親交するよう我々が努めていること。多くの人を知れば知るほど、向こうも我々について知ることになる。八月にはセヴァストポリで『夜の狼』の一大イベントがあります。その際には近隣支部のメンバーがこの広場に集合し、現地までツーリングする計画を立てています。これはチェチェン市民のためになる。過去の戦争を忘れるのにも役に立つはずです」。ムタエフは黒々と伸びたあごひげをなでた。

「夜の狼」チェチェン支部の開設には、プーチンを支えるロシアの愛国勢力に対してカディロフ支持層も同調しているとアピールする意図がうかがえる。加えてロシア国内におけるチェチェンへの偏見を払拭する狙いもあるようだ。カディロフ支配下のチェチェンでは、ロシア中央に対する遠心力と求心力が同時に働いている——というのが私の見立てだが、このチェチェン支部は求心力を体現する存在だ。

ムタエフは軽くため息をつきながら話を続けた。「マスメディア上ではチェチェン人について多くのことが言われています」

——若いチェチェン人の乱暴な振る舞いや悪いイメージについて？

「そうです。私は実際にそうした連中に出くわし、腕ずくで食い止めたこともある。休暇で（ロシア南部の）クラスノダール地方を訪ねたときにそんなことがあった。以来、若者たちには用心している。これはチェチェン人のイメージに関わるのです。我々はおかしな振る舞いをしないよう常に気をつけています」

模範的愛国者であるための苦労が絶えないようだ。チェチェン人への偏見や差別の具体例を一つ挙げよう。反プーチン活動家として名を馳《は》せるアレクセイ・ナヴァリヌイは、二〇〇〇年代には民族主義的な立ち位置をとり、チェチェンなど北コーカサスからモスクワへやって来る出稼ぎ労働者を「害虫」に例える差別的言動を繰り返していた。当時、市民の間で広がっていた異民族排斥の感情を利用し、自身への支持を広げようとしていたのだ。二度の紛争の記憶やチェチェン・マフィアの存在、後述するカディロフ親衛武装組織「カディロフツィ」の問題もあり、現在でもスラヴ系ロシア人のチェチェン人に対する印象は総じて厳しいのが現実だ。

ところで、「夜の狼」チェチェン支部メンバーに第二次チェチェン紛争の戦闘経験者はいるのだろうか。

「紛争当時、私は一九歳。非常に大変な時期でした。父親は病気で、母親もほとんど何もできなかった。域外へ避難しようと思っていた矢先に空爆が始まり、最後までチェチェンに残ったのです。支部メンバーに戦闘経験者はいません。大半は避難していたから。我々には暗い過去のある人間は必要ない」

——支部にとってカディロフ氏の役割は？

「支部を公式に支援してくれている。彼のお陰で世間から温かく受け入れられている」。ムタエフは表情をぱっと明るくし、饒舌《じょうぜつ》になった。「私たちのバイクは少し古くなっていたが、ラムザン・アフマトヴィチがご自身の基金から購入費を援助してくれたのです。彼はスポーツ関連など意義のある新事業は全て支援している。みんな戦争に疲れていた。そこで彼は『ダヴァイチェ・ブージェム・ジーチ！（さあ、暮らしを始めよう）』と言ったのです。そして彼はみんなを助けています。ご自身の故郷の村で子供たちに自転車数十台の購入を支援したこともあった。何か役に立つ熱中の対象があれば必ず支援してくれます」

ムタエフの熱弁には興味深い話が含まれていた。それはカディロフの「基金」だ。気前よく振る舞っている資金の源は何か。この話は追って詳しく論じたい。


チェチェンの「戦争と平和」について、もう少しムタエフの思いを聞こう。

――ロシアのネット上には「チェチェンの平和は非常に脆《もろ》い」といった書き込みもあります。

「いまチェチェンの人々は普通の暮らしを続けたいという思いを抱いています。戦争はもう、うんざりです。ラムザン・アフマトヴィチを見ていると、彼は寝ているのだろうかと驚くことがある。彼は住民のために本当に努力している」

ムタエフはカディロフに心酔し、彼の統治下での安定に浸っている。ただ、その発言はやや大げさだ。

――この平穏は長続きすると思う？

「私たちは永遠に続くよう祈っています。もし過去の出来事が繰り返されるとしたら、我々はもう生き延びられないでしょう。永遠に全てが順調であり続けることが非常に大事なんだ。いまでは地方の村落でさえも全ての道路が舗装されている。チェチェンを訪れた人はみんな、こうも美しく迅速に再建されたことにショックを受けますよ。家でネットばかり見ている人たちがここを訪れて、我々がどんな暮らしをしているかを自分の目で眺めたならどれだけ良いことか」。生真面目な支部長は「私はクラブの繁栄を願い、愛国者が増えることを望んでいる」と話を結んだ。

インタビューが終わったちょうどそのとき、二人の男が軽やかな足取りで近づいてきた。前を歩くのは野球帽にTシャツ、トレーニングパンツ姿で、小柄だががっちりした体格の持ち主だ。メンバーらと親しげに握手を交わし、一台のバイクにまたがって走り出した。

「支部メンバーがもう一人やってきましたよ。あれはグロズヌイ市長です」。ムタエフが誇らしそうに笑顔を見せる。「市長が散歩のついでにバイクに乗っていく。こんなことも我々にとっちゃ当たり前なんだ」。市長とはラムザン・カディロフの親族のイスラム・カディロフ（二七）。ロシアで最年少の市長だ。首長補佐も務めており、縁故ゆえの栄達とみられる。一緒に来たのは拳銃を腰につけた護衛役だ。

バイクで一回りして帰ってきた若き市長にインタビューを申し込むと、気楽な調子で話し始めた。

――グロズヌイは変わったのでしょうか？

「私たちの初代大統領のお陰です。彼が礎を築いた。そしてラムザン・アフマトヴィチ共和国首長が初代大統領の歩んだ道を引き継いだのです。さらに言えばプーチン大統領閣下のお陰だ。こうしてチェチェンは変化し、ロシア内外で最も繁栄している共和国となった。あなた方が自分の目で見ている通りです」

異論を挟む隙を与えないような自信満々の話しぶりだ。

――チェチェンの若者たちは「戦争」という概念からは縁遠い？

「もう大分前から縁遠くなっています。ラムザン・アフマトヴィチが『戦争の痕跡なきチェチェン』という復興プログラムを導入し、それ以来、私たちは戦争のことなど忘れてしまった」

忘れたとは極端な言葉だ。

――考えないように努力しているのでは？

「努力などしていません。私たちはいまグロズヌイ中心部にいるが、この美しい景観の中でどうして戦争のことを考えられよう」

確かに戦争の跡がきれいに消されているのは事実だ。そこには巨費が投じられた。

――戦争を繰り返さないためにはどうすれば？

「神に祈ることです。私は昼間も深夜も祈っている。二度とあのようなことが起きないようにと神に祈っている。アッラーは全てを与える。ラムザン・アフマトヴィチがおっしゃっている通りです」

断食月の夜だけあって宗教心が高揚しているのだろうか。「若い兄ちゃん」といった雰囲気の市長はカディロフと神とを早口でたたえ、来たときと同様にふらりと速足で去って行った。実に〝藩王国〟らしい一幕だった（イスラム・カディロフはその後、共和国政府の別の役職に就いたがスキャンダルが絶えず、一九年には暴行場面を捉えたビデオが地元テレビで流されて失脚した）。

「夜の狼」の支部メンバーにはチェチェン共和国の官僚もいた。青年省次官のルスラン・イドリソフ（四二）である。その役職を皮肉ってか、ニックネームは「ナルシーテリ（違反者）」という。

「ゴルバチョフとエリツィンがロシアを駄目にしたのです。あの戦争を忘れられはしません。思い出さないように努めている」。長身で穏やかなイドリソフはぽつりぽつりと語り始めた。「私は一人っ子だったからどこへも避難しなかったのです。九〇年から二年間、徴兵をモスクワ州で務めていました。帰郷したら全てが始まったのです。ロシア人と一緒に兵役を務めたばかりで、今度はロシア軍機が爆撃のためチェチェン上空に飛んできた。こんなことが起きるなんて想像すらできなかった。戦争当時、ロシア人にとってもチェチェン人にとってもひどい状況でした。どちらも誘拐の被害に遭っていた。被害者の七、八割はチェチェン人。五キロの肉を買える程度の家庭はみんな狙われました。誘拐されると身代金に一万ドルも要求されたのです。

誘拐犯は『親類からカネをかき集めろ』と。みんな戦争に疲れ果てましたよ」

紛争下のチェチェンと周辺地域における誘拐の横行は長きに渡り、実行主体とその狙いは一様ではなかった。第一次紛争以降、チェチェン独立派の一部武装グループが資金調達を目的とする「誘拐ビジネス」に暗躍した。第二次紛争が続く中で〇〇年代前半までに、人道支援関係者などの外国人数十人を含む約一〇〇〇件の誘拐事件が起きている。同時に、武装勢力の情報を引き出すなど治安維持を目的としたロシア治安当局による誘拐が疑われるケースも多発した。〇〇年代半ば以降は治安当局やロシア軍による地元住民の誘拐、拉致が増えたと指摘される。そこにカディロフの手勢「カディロフツィ」も加わった模様だ。当局などにさらわれた後、行方不明になり、殺害されたとみられる人も少なくない。

「狼」メンバーの話を聞き終えてメモ帳から顔を上げると、子供たちがバイクの周りで目を輝かせている。リーダーのムタエフが幼い男児を抱き上げ、座席に立たせ

大モスクの前に集まったバイク集団「夜の狼」チェチェン支部のメンバー。中央の女性は国内旅行で現地を訪れ、交流していた(グロズヌイ/2015年6月21日/毎日新聞社)

た。その子のすました顔にメンバーたちの笑みがこぼれる。グロズヌイの夜は静かに深まっていく。彼らは基本的に善人なのだろう。チェチェンのイメージを良くしたい、ロシアの他地域と交流を深めたいと行動している。ただ、心酔するカディロフに利用されている面もあるように思えた。チェチェンではロシア中央への求心力と同時に遠心力が働いている。二つの力の源にカディロフがいる。

## カディロフの人物像

さて、そのラムザン・カディロフとは一体どんな人物なのか。その言動から手がかりを探ってみたい。象徴的な例として一六年春の退任騒動を取り上げたい。この年の四月初旬に五年間の首長任期が終了するのを前に、カディロフが繰り広げた一種の情報工作と言えるだろう。二月下旬にロシアのテレビ局「ＮＴＶ」が放映したインタビューが騒動の皮切りとなる。カディロフは次のように語った。

「今や国家指導部は（チェチェン共和国首長に）別の人間を見つけなければいけないと思います。私にとっての時は至った。チェチェンに後継候補は大勢います。家族、私生活、イスラムの研究。私はこうしたところに自分の姿を見る」

共和国首長への再選を果たしたカディロフ（右）と握手するプーチン（モスクワ／2016年9月23日／Getty Images）

退任の意向を明確にし、今後は一私人として暮らしたいというわけだ。続く三月初旬のインタファクス通信のインタビューでは少し語り口を変化させた。

「この問題については全てプーチン大統領が決定する。私は『イエスチ（了解です）！』と答える一兵卒です。私のことが必要で、さらに共和国首長として働けと言われれば、議論の余地もない。違う決定がなされれば、無条件に従うまでです」

カディロフのこうした発言はどう捉えるべきなのだろう。当時、ロシア内外の専門家たちは「政治ゲームに過ぎない」と指摘した。つまり退任の意向を語ることで逆に、チェチェンの安定にとって自身は必須の存在とアピールしたのだ。引き続き首長の地位を確実にするためのキャンペーンと言い換えても良い。

一五年二月にモスクワで起きた野党政治家暗殺事件によってカディロフの立場が一時危うくなったとの見方もあり（第四章参照）、積極的に動く必要があると考えた可能性もある。結局プーチンの承認を得て首長選に再出馬し、予定調和の圧勝を果たす。もとよりカディロフに首長をやめる意思などあろうはずもない。分かりやすい茶番劇だが、本人にとっては必要な一芝居だった。

この騒動などから透けて見えるカディロフの人物像はこうだ。嘘や心にも無いことを平気で語る。大言壮語や過激な脅し文句をよく口にする。存在感を誇示し、注目を集めることを好む。連邦中央や周囲から必要だと言われたい、それを確認したい。プーチンとの関係が生命線と自覚しているため、忠誠心を露骨にアピールする。分かりやすく、子供っぽい性格と言えるだろう。その彼がチェチェンで絶大な権力を握っている。自身の人気や重みをしばしば確認せずにはいられないところは意外に小心な内面を示すとも言えそうだ。

カディロフの価値観は良くも悪くも欧米的な価値観とは対極にあって、本人はそれを隠さない。むしろ売りにしているところがある。〇七年にノルウェーの女性ジャーナリスト、オスネ・セイエルスタッドの単独取材に応じた際はこんな発言をした。

「男女平等のどこがいいんだ？　出生率は低く、若者は結婚しない」「ああ女か。おれは女は大好きだ！　妻は神聖なものだから家にいなければならん」（『チェチェン　廃墟に生きる戦争孤児たち』より。原文ママ）

マッチョで豪快なイメージを意識しているのかそれとも無意識なのか、よく大笑いしてみせるのも特徴だ。その裏には激しやすい性格がある。だから、時にぽろりと本音を漏らすこともあるようだ。

## ロシア人研究者の分析

ここでカディロフ体制についてロシア人研究者の見方を紹介しておきたい。私は現地入り前に現代チェチェンに精通するカーネギー国際平和財団モスクワセンターのアレクセイ・マラシェンコを訪ね、話を聞いていた。アラビア語を解し、ロシアきってのイスラム研究者として知られる。

――チェチェンのカディロフ首長をどう評価していますか？

「チェチェンにおいて彼は強いリーダーだ。若くして権力を握り、二〇～四〇代の若い世代の支持を受けている。チェチェンに秩序をもたらし、大量の建設事業を実施し、道路も造っている。秩序を保っているゆえに高い人気を得ている。彼が導入した厳格な秩序によってグロズヌイでは女性も深夜に出歩くことができる。ギャング行為は非常に少なく、自動車盗もほとんどいない」

安定という面では高く評価できるようだ。「だが一方で」と言って、マラシェンコは語調を強めた。

「彼は反対派を許容できない人物であり、強硬な権威主義体制を築いている。トラブルを抑えるためには極端な手段もいとわない。犯罪に対しては犯人本人だけでなく家族全員が罰せられる。ロシアの人権活動家たちはこのようなやり方に異議を唱えているし、ロシア法にも反する。だが、様々な世代のチェチェン人と話したが、彼らは『家族はその構成員について責任を負う伝統がある』と言い、これを正しいことだと見なしている。多くの人はチェチェンではロシアの法律が適用されていないと考え、それを正しいことだと考えている。ロシア法が適用されるのは、カディロフの考えと一致したときだけだ。もっとも、ロシア法はモスクワなどロシア全土でも適正に運用されているとは言えないが……」

——彼はどんな人物なのでしょうか。

「カディロフは狡猾《こうかつ》で、自身の競争相手は全て排除した。一部の『テイプ』(氏族)は彼を嫌っているが、カディロフの反対者たちでさえ彼がチェチェンのために多くを成し遂げたことは認めている。チェチェンではあちこちにプーチンと父アフマト・カディロフの肖像写真が掲げられている。ラムザン・カディロフは自身の肖像を街頭に掲げて人々を刺激する必要はないと理解しているのだ。彼は大金持ちであり、冒険主義者である。かつて一人で車を乗り回していたこともある。彼に対する多くの襲撃の企てがあったにもかかわらずだ。現在は厳重な警備体制がとられているが、なぜ彼がこれまで殺されずにこられたのか不思議に思うほどだ。私は彼の敵対者たちに話を聞いたことがある。彼らは『ラムザンを殺す』と明言していたが、いまだに実現していない。なぜか？　チェチェン人たちは『カディロフがいなくなればチェチェンの状況は悪化する』と考えているのだと思う。ポスト・カディロフが誰になるのか想像もできない」

ロシアでポスト・プーチンが想像しづらいのと同様ということか。マラシェンコの話はチェチェンの権力構造の核心へと進む。

「カディロフは自らの周辺に私的な親衛隊、通称カディロフツィを構築した。この親衛隊は三つの層から成っている。第一は、反ワッハビスト（ワッハビストとはイスラム過激派メンバーのこと）で、父アフマトの時代からの支持者である。第二は投降・転向したワッハビストだ。そして第三は二〇代の若い世代。若い世代には戦闘経験はないが、ラムザンだけを強く支持し忠誠を誓う者たちだ。カディロフツィは大きな勢力だ。人数ははっきりしないが、武装した彼らが四万五〇〇〇人はいると思う。それだけではない。あるとき、私がチェチェンの小さな町へ食事のため立ち寄ったところ、内務当局の地区責任者がやって来た。よそ者がいるという情報がすぐ当局に入るのだ。あいさつすると去って行ったが、このように全てが管理されている」

カディロフツィや治安当局という手足が強権的なチェチェン統治を支えているわけだ。マラシェンコはここで、カディロフツィについて「私的な親衛隊」と表現した。事実そのような存在なのだが、彼らの大部分は表向きにはロシア連邦内務省傘下の軍人たちである（内務省の軍事組織・ロシア国内軍は一六年に国家親衛軍へ改組）。そこにチェチェンの特殊性がある。

――プーチンとカディロフの関係は？

「カディロフはプーチンの全面的な信頼を得ている。カディロフは自らをチェチェンの主人とみなしており、プーチンに対してのみ責任を負うと考えている。そしてプーチンは現在に至るまでカディロフに対して極めて良好な態度をとっている。彼らはパートナーであり、相互依存関係にある。カディロフはプーチンの庇護《ひご》なくしては生きられず、一方のプーチンはカディロフにチェチェン支配を委任している。いまチェチェンは非常に安定している。カディロフは連邦予算から巨費を受け取ってチェチェンを再建した。プーチンにとって大事なのは忠誠だ。チェチェン内部がどうであろうと関係ない。最も重要なのは支持を得ること、分離主義がないこと、安定していることだ。プーチンが自らの権力を強固にしたのは第二次チェチェン紛争のお陰であり、またアフマト・カディロフと話を付けたことによる。プーチンにとってチェチェンが最高権力への階段を上る第一歩だった。アフマトは元々ムフティー（イスラム教指導者）としてジハード（対ロシア戦争）に参加していた」

マラシェンコもチェチェンこそがプーチン政権の原点と考えている。

――現在のチェチェンはどんな場所になっているのでしょう？

「チェチェンは大きく変わった。まれにテロ事件は起きているが、分離主義というほどの勢力は事実上存在しない。街は非常に美しく整えられ、テロなど起きるとは思いもしないだろう。私は最近、山岳地帯も訪れたが、そこでも過去に紛争があったとは思えなかった。新しい家々が建ち並び、道路はきれいに舗装されていた。一方で人々と話すと、今のチェチェンとカディロフに対する評価はどっちつかずという印象を得た。住民は彼を恐れている。チェチェンへ行っても、誰一人としてあなたに真実を話すことはない。誰もが『フショー・ハラショー（何もかも順調だ）』と言うことだろう。現地の物価は安く、レストランや食品の値段はモスクワの四分の一くらいだ。チェチェンには多くの問題がある。例えば失業問題。産業が少ないからだ。カディロフが独裁者であるのも問題だ。チェチェン社会は歴史上初めて独裁の下にある。かつては全てが氏族同士の合意や契約に基づいていたが、現在はたった一人の長がいる。その評価は様々だ」

マラシェンコの話で最も興味深いのは、やはりプーチンとカディロフの関係だ。強固な相互依存関係があるゆえに、今後このバランスが崩れたときに蓄積された矛盾がマグマのように噴出しかねないのではないか。マラシェンコの分析は後の章でも必要に応じて引用したい。

# 第二章　異境化するチェチェン

## コロナ危機下のチェチェン

黒いマスク、黒い行動服に身を固め、白い棒を握った十数人の男たちが人影のない街路を練り歩く。「外出禁止措置は継続中。分からない者がいれば、こいつで教えてやればいい」。集団の一人はこんな言葉をうそぶいた。二〇二〇年三月にチェチェン中部シャリで撮影された治安部隊の動画だ。ＳＮＳにアップされ、ロシア国内外へ拡散された。春先から新型コロナウイルスの感染が世界規模で拡大する中、規則を守らない市民は暴力で抑え込むという「チェチェンらしさ」が発信された。

　コロナ下の緊張状態でチェチェンから発信された「らしさ」はそれだけではない。首長ラムザン・カディロフも率先して過激な言動を繰り返した。三月下旬以降、自身のＳＮＳアカウントで「コロナ禍の中で周囲の人たちを危険にさらす者はテロリストより悪《あ》しき存在だ。厳罰に処す必要がある」と書き込み、検疫措置を破った市民に対しては「冷たい穴の中で餓死すべきだ」と言い放った。
チェチェン政府は国内他地域との境界を閉じ、強い外出自粛要請と夜間外出禁止令を発動する。マスクを着けていなかった人が警官の暴行を受けるケースが複数報告された。さらにカディロフは四月下旬、突然スキンヘッドになった自身の動画を公開し、ロシア社会を驚かせた。理髪店の営業再開を求める地元市民の声に対して、「我々の祖先がしていたように、剃髪《ていはつ》することにした」と笑ってみせ、チェチェンの男性たちに見習うよう促した。

新型コロナを巡るチェチェンでの動きを通して、ロシア国内におけるチェチェンへの異端視は強化されたであろう。これまでもカディロフの過激な言動や突出した行政上の措置は、多くのロシア国民に「またチェチェンか」と冷ややかに受け止められてきた。例えば、カディロフが一六年一月に反体制派ジャーナリストを「人民の敵」と呼んだ際には、独立系世論調査機関レヴァダ・センターの調査で全国の回答者の約六割が「容認できない」と答え、カディロフに敬意や共感を持つとした人の割合は一七％だった。チェチェンの動きは連邦政府の方針と矛盾することもあり、そのたびに大統領報道官らが尻ぬぐいの見解を発表するのもパターン化している。

二〇年だけでもこうした例は複数見られた。四月、新型コロナの感染を巡ってチェチェン当局の対応を記事で批判した独立系メディア『ノーヴァヤ・ガゼータ』紙にカディロフは激怒する。連邦保安庁のメディア統制が甘いとして、SNSで「私たちを殺人者にしたいのですか？」と間接的に記者を脅迫する書き込みをした。大統領報道官のペスコフは「確かに（書き込みは）非常に感情的だが、今は状況自体が非常に感情的。違法性はない」とかわした。七月、ポンペオ米国務長官（当時）が重大な人権侵害への関与を理由にカディロフと妻子に制裁を科すと発表する。カディロフはすぐさま、銃器がずらりと並んだ武器保管室でマシンガン二丁を持つ自らの写真をSNSに投稿し、「ポンペオよ、我々は戦いを受け入れる。これからもっと面白くなるだろう」と挑発した。これについてもペスコフは「合法的に武器を所持しているなら何の問題もない」と淡々とコメントした。

ペスコフはカディロフの発言への対応に慣れているが、それでも苦心が見え隠れするときもある。その例が、コロナ対応を巡る中央とチェチェンの食い違いだった。カディロフは四月五日からのチェチェン封鎖を独断で決定する。「緊急車両や食料と薬の運搬は例外」としつつ、航空便、列車、一般車両の出入りを止める措置に出た。翌日、連邦政府首相ミシュスチンは「地方の権力を連邦の権力と混同しないでもらいたい」と名指しは避けつつ、チェチェンの突出した対応を批判した。カディロフはすぐさま反論のコメントを発表し、「物資輸送に悪影響を与えるような措置は講じていない。住民の支持も得ている」と強調する。最終的にはペスコフが「首相は『地域の閉鎖は容認できない』と話した。これは主に物資の流れについてだった。そして、チェチェンからは地域の閉鎖はしていないという確認があった。両者間に矛盾は見られない」とやや苦しい説明をして、対立に終止符を打つ。カディロフの独断を追認する形となった。

## カディロフの論理

カディロフはロシア中央との関係やチェチェンの独自路線をどう考えているのか。過去の発言をいくつか掘り起こしてみたい。

「私が間違った不公正な行動をしたとは誰一人言うことはできない。私は自分がどこへ向かっているのかを知っている。人々のため、神のため先へ進む。『犬は吠え、キャラバン（隊商）は前進する』という言葉がある。犬や悪魔どもには吠えさせておけばいい」。一五年七月の国営ロシア通信とのインタビューでこう語った。「私はプーチン大統領の一兵卒だ」と忠誠を強調しつつ、外部の批判は無視して突き進む考えを吐露している。

中央からの統制に刃向かう姿勢をあからさまにしたこともある。同じ一五年四月、隣接するスタヴロポリ地方の警官隊と連邦軍の共同作戦によって、傷害容疑で指名手配中のチェチェン人の男がチェチェン領内で射殺されたことがきっかけだった。激昂《げっこう》したカディロフは、共和国の治安機関幹部らに他地域の警官に対しては発砲してもよい旨、会議で言い放った。「モスクワだろうとどこからであろうと、知らせ無しに担当領域に現れた者には発砲して構わない。もし諸君が自分の領土を支配しているのであれば、それをコントロールしなければならない」。ロシアの一連邦構成体であるチェチェンに対して強烈な縄張り意識を抱いている。

連邦政府への不満を明確に示したこともある。一八年一二月の国営放送のインタビューで「(連邦政府の)プログラムの下で必要な資金が割り当てられていれば、そして邪魔されなければ、(チェチェンの発展に)もっと多くのことをなし得ただろう」と言及した。邪魔したのが誰かは明言しなかったが、「彼らは私たちに頻繁に干渉した。誰もが双眼鏡を通して(チェチェンを)見ていた。『あごひげを生やしたカディロフは下手くそなロシア語で話す。機関銃を持っていた昨日の戦士が今日は政治と経済に従事している』と」。チェチェンに対する異端視、蔑視への憤りを露わにした。この際にも続けて「プーチン大統領の信頼が我々を助けてくれた」と付け加えるのは忘れなかった。

ただ、異端視を招いているのは自らの言動も原因のはずだ。社会や文化に関しては次のような発言が国内外で注目された。

「チェチェンでは一夫多妻制が許可されるべきだ。これは妻子にウソをつかず、愛人を持たないために必要である」(一五年六月)、「チェチェンにはゲイなど一切存在しない。もしいるならば、私たちの血を浄化するために彼らを連れ出せ」(一七年七月)。共にイスラムの教えに由来する思考とみられる。イスラムでは妻四人までの一夫多妻制が認められ、一方で同性愛は禁忌とされてきた。現代の先進主要国での一般的な社会規範とは相反するが、カディロフはこれを善とする。カディロフが「白」といえば、チェチェン全体でも「白」となる。ちなみにカディロフは〇八年にイスラム教徒の義務である聖地メッカへの大巡礼を済ませて以来、繰り返しメッカを訪れており、敬虔《けいけん》なイスラム教徒との自己認識があるようだ。

チェチェンの異質さを象徴する出来事はこうしてカディロフを中心に繰り返され、チェチェンがロシア国内の他地域とは距離のある独自の方向へ突き進む「遠心力」を生み出している。本章ではこの遠心力の実態を探る。二つのケースを具体的に見てみよう。

## 風刺画事件のデモ行進

事例の一つ目は、一五年一月七日にフランスのパリで起きた凄惨なテロ事件に際しての対応だ。イスラム教の預言者ムハンマドの風刺画を掲載した週刊紙『シャルリーエブド』本社が二人組のテロリストに襲撃され、編集者や風刺画家ら一二人が殺害された事件である。特殊部隊に射殺された犯人はアルジェリア系の兄弟で筋金入りのイスラム過激派だった。

　事件四日後、フランス各地で「私はシャルリー」の標語を掲げた計四〇〇万人近い人々が行進し、犠牲者の追悼と言論の自由を訴えた。『シャルリー』紙による露骨な宗教風刺は過去何度も繰り返され、国内外の批判も浴びていた。しかし、殺人という究極の暴力で言論を封じた事件には国際社会の圧倒的多数が明確な「ノー」を表明した。

　さて、チェチェンである。事件発生から一二日後の一月一九日、グロズヌイでは八〇万人超の大群衆が中心部の通りを埋めた。テロに対する非難ではなく、イスラムを冒涜《ぼうとく》した風刺画に抗議する大規模デモである。「私たちは風刺画に反対」「私は預言者を愛する」。このようなプラカードが掲げられた。首長のカディロフは「欧州のジャーナリストと政治家たちは言論の自由と民主主義とい

仏『シャルリーエブド』紙による預言者ムハンマドの風刺画に抗議するデモ（グロズヌイ／2015年1月19日／Getty Images）

う偽りのスローガンの下、無礼の自由と、数億人の宗教感情への侮辱を提唱している」と訴えた。

この抗議デモの背景については少し説明が必要だろう。通常三万部の『シャルリー』紙が事件一週間後に数百万部発行した特別号の表紙には、再び預言者ムハンマドの風刺画が掲載されたのである。「すべては許される」とのメッセージの下、ぎょろ目のムハンマドが大粒の涙を流し、「私はシャルリー」のプラカードを掲げるイラストだ。多様な解釈が可能な風刺画だが、テロが起きた直後に重ねて預言者を描く姿勢はイスラム圏から「挑発的」と受け止められた。ロシアではロシア正教徒が国民の七割を占め、イスラム教徒は一〇%ほどの少数派である。それも北コーカサス地方やヴォルガ川沿いのタタルスタン共和国など特定地域に集中している。それでも、このチェチェンでの抗議デモにはロシア中央でも一定の理解が示された。国営テレビのニュース番組はデモ直前にカディロフのインタビューを流し、宗教を侮辱する表現への怒りに配慮している。だが、全国から見ればかなり異質な出来事であり、多くのロシア国民にチェチェンの異境ぶりを再確認させたとみられる。

政教分離や表現の自由を国是とするフランスで、『シャルリー』紙の風刺画を巡るテロは二〇二〇年にも繰り返された。同紙はこの年の九月初旬、一五年の事件の公判開始に合わせて改めてムハンマドの風刺画を掲載し、再びイスラム教徒の怒りの火に油を注いだ。九月下旬、同紙の旧本社前で男女がパキスタン出身の男に切りつけられ、重傷を負う事件が起きる。一〇月中旬には、中学校の授業で風刺画を生徒に見せた男性教師がパリ近郊で首を切断されて殺害された。射殺された容疑者はチェチェン人の移民の男（一八）だった。彼はシリアにいるイスラム過激派とネットでやりとりしていたと報じられ、チェチェン人の武装勢力メンバーと接触していた可能性が指摘される。関連事件は仏南部ニースなどでも続いた。

事件を受けて仏大統領マクロンは「宗教風刺も表現の自由」と強調したが、世界のイスラム圏で反発が強まる。チェチェンではイスラム指導者サラフ・メジエフが「マクロン、お前は世界随一のテロリストだ。アッラーと人類の敵だ」と糾弾し、カディロフも「お前はテロを鼓舞する人物だ」とSNSで怒りを表明した。マクロンに対して「頭の治療が必要だ」と言い放ったトルコ大統領エルドアンら中東の指導者と足並みをそろえ、非難の列に加わった形だ。チェチェンはイスラム圏の一角であると改めて強く印象づけた。

## 警察幹部の重婚騒動

イスラムに関わるもう一つの事例を検証してみたい。一五年五月に既婚者の四七歳の警察署長（五七歳との説もある）が一七歳の少女を「二人目の妻」とする結婚式を行い、カディロフも「伝統に沿った結婚だ」と祝福した。重婚や未成年の結婚を禁じたロシアの法律が公然と無視される形となり、全国ニュースで報じられる騒動となった。

きっかけは、この年の四月に『ノーヴァヤ・ガゼータ』紙が大きく報じたことだった。チェチェン南東部ノジャイユルト地区に住む一七歳の少女ルイーザ・ゴイラビエワが年の離れた警察署長との望まない結婚を強いられることになり、彼女の知人たちが助けを求めている――といった内容だ。少女には婚約者もいたが、両親が脅迫を受けたため結婚に同意せざるを得なかったと報じられた。ロシアにおける成人年齢は一八歳である。この件では強制的な結婚、重婚、未成年という三つの違法性が疑われた。

『ノーヴァヤ・ガゼータ』紙の記者は四月末、当の警察署長ナジュド・グチゴフに電話で直当たりしている。「私にはたった一人の愛する妻がいる。第二夫人とは何の話だ？」と否定するコメントを引き出し、あわせて報じた。モスクワでも話題になったところでカディロフが介入する。チェチェン政府の会議でこの問題を取り上げ、二人の結婚が計画されていることを確認し、少女の家族も同意していると主張した。

次第に騒ぎが大きくなり、ロシア中央にも波及する。ロシア大統領の諮問機関である人権評議会トップが検事総長に注意喚起し、子供の権利担当の大統領全権オンブズマンは現地調査の意向を示した。注目が集まったところで、さらにあおるのがカディロフ流だ。彼はSNSでこの結婚が「ロシアの法律とイスラムの伝統に合致している。二〇〇〇年に一度のお祝いになる」とアピールした。そして五月中旬、チェチェン政府高官の臨席のもとグロズヌイで二人の式が執り行われる。披露宴にはカディロフも参加し、伝統舞踊レズギンカを踊って祝福した。

プーチン政権は後始末に追われる。この件について記者団から問われた大統領報道官ペスコフは「結婚問題は担当範囲外」とコメントを避けた。現地調査を表明していた子供の権利担当オンブズマンは「例外的なケースでは結婚可能年齢の下限は地域の行政当局によって設定され得る」とトーンダウンした。露メディアの一部は「グチゴフは最初の妻とは正式な婚姻をしていなかった」と報じ、重婚疑惑についても「グレーだが違法ではない」との解釈がなされた。

カディロフは結婚式の翌月、インタファクス通信のインタビューに応じ、イスラム教徒が大半を占める北コーカサス地方では一夫多妻制が公認されるべきだと強く主張した。

「ダゲスタン、チェチェン、イングーシなどの地域では一夫多妻制が許可されるべきです。なぜならこれは女性に対する清潔かつ正しい態度だからだ。一夫多妻制は、人が愛人を持たないために必要です。愛人を持った男性は常に妻と子供にウソをつくことになる。だから、私は次のような場合に男性が複数の妻を持つことに賛成する。彼が必要とし、それらを支えられる経済状態にあること。そして、ロシアの人口問題の解決に資することができる場合だ」

私たちはチェチェンでの現地取材で人に会うたび、この件について尋ねてみた。バイク集団「夜の狼」チェチェン支部リーダーのアリビー・ムタエフは「もしどうしても必要なら私も二人目の妻をめとるでしょう」と真面目な顔をして切り出し、「もちろん、まずは一人目の妻に同意を求めます。だが、彼女は許さないだろう」と冗談めかした。宿泊したホテルの男性経営者（六三）は「単に愛人をめとったということだよ」と肩をすくめる。チェチェン南部イトゥムカリの行政地区長ハムザット・テミルブラトフ（六〇）は擁護の論陣を張った。「モスクワの大富豪たちはいったい何人の若い女性たちと結婚している？　若い娘が嫁に行きたいと言って、何がいけない？　うちの妻も宗教的な女性で理解があるから一夫多妻制に反対ではない。ただ、私は女性たちがこれを歓迎していないことは知っている……」

チェチェン女性たちの見方はどうか。公園で清掃作業をしていた中年女性は「私は反対。彼は若い女性と結婚してもよくて、私たちが若い男性と結婚してはならないなんて、お笑い草です」と一蹴した。市場の鶏肉売り場で働く若い女性は「夫婦の年齢差が一〇歳から一五歳ぐらいあるのは普通です。良いことだとさえ見なされます。それ以上になると打算でしょうね」と指摘した。二人とも今回の結婚の年齢差が大きいことをむしろ問題視している。

人権活動家の中年女性ヘダ・サラトワにも意見を聞いた。彼女はある種の関係者だった。「報道で騒ぎが始まると、彼女とその家族はおびえて私に保護を求めてきました。山岳部の住人にとって、こんな問題で世間の注目を浴びるのは心地よいことではないのです。さて、もしあの娘が結婚したくなかったら贈り物のアイフォーンや装飾品を受け取らなかったことでしょう。彼女はとても貧しい家庭の出身で、この結婚は貧困から抜け出すチャンスだったのです」と解説する。続けてさらっと明かした。「チェチェンでは第二夫人がいるのは特別なことではありません。私自身が第二夫人です。我が家は第一夫人も含めて普通の関係にあります」

問題の結婚式で司会を務めたロシア人女性にも話を聞けた。普段はラジオ番組のパーソナリティを務めるアーシャ・ベーロワ（三三）だ。「花嫁にとってこの結婚は損得勘定に基づいているなという印象を受けました。彼女は貧しい家の出身です。誰かに強制されたという感じはしませんでした。記念撮影の際に花嫁が第一夫人の近くに立っていたのですが、この子は家庭内に『熱気』をもたらすことになるだろうなと思いましたね。私自身はチェチェン人と結婚するつもりはありません。文化が違うので」

チェチェンでは、この結婚で一夫多妻となることを問題視する声はほとんど聞かれない。その理由を地元の専門家タマラ・マザエワ（六二）が説明してくれた。国立チェチェン大学副学長で民族文化学を専攻する女性研究者である。

――チェチェンで一夫多妻制は伝統なのでしょうか？

「イスラムにおいては複数の夫人を持つことは許されています。もし男性が第二夫人にも第一夫人と全く同じだけの物を与えられるのならば、彼には二重結婚の権利があります。それができないなら権利はありません。また、第一夫人の許可を得る必要もあります。しかし、チェチェン人の間では実例は多くありませんでした。私の周囲でも妻が二人いる家庭はほんの少ししかありません。戦争で多くの男性が死亡し、女性たちが取り残されたときには一夫多妻の結婚は普通のことです。女性が独身のままでいることは大きな罪とされており、彼女は結婚する必要があるからです」

――チェチェン紛争後はどうなのでしょう？

「紛争でやはり男性が少なくなりました。夫を失った子持ちの女性たちが残されたのです。結婚適齢期を過ぎた女性たちも多くなりました。彼女たちを一人のままにしてはならないのです」

つまり、チェチェンでは一夫多妻の例は少なかったが、二度の紛争で多くの男性が死亡したため、より一般的になったということだ。それでは論争を生んだ今回の警察署長の結婚についてはどのような見解を持っているのだろう。

「お願いです。それについては話もしたくありません」

――ロシア中央では重婚は違法だと言われていますが。

「私は議論をしたくないのです」

マザエワはぱったりと口を閉ざした。カディロフ支配下のチェチェンでは、彼に逆らったとみなされる発言は身の危険を意味する。学識経験者であればなおさらだ。カディロフが祝った署長の結婚について何も語らないことによって、彼女は自分の姿勢をかろうじて示したのだろう。

最後にモスクワのイスラム研究者、アレクセイ・マラシェンコの見方も紹介しておこう。「この結婚については、新郎の警察署長が新婦の親族に圧力を掛けたとみられる。チェチェンの伝統に従えばこれはやってはいけないことで一番の問題だ。新婦の親族とは誠実に話をつけなければならない。一夫多妻制に関して言えば、イスラム教の預言者ムハンマドは一一歳の少女とも結婚している。とはいえ、この問題についてはチェチェンでも意見が割れている」。彼はこう説明した。一夫多妻の是非はさておいて、カディロフが介入して話が大きくなったこの重婚騒動により、もともと存在していたロシア法とチェチェン社会の慣習との矛盾が白日の下にさらされた。結果、「チェチェンは独特なエリア」というロシア社会での印象がさらに強化されたのではないだろうか。

実はカディロフにも第二夫人がいるらしい。一夫多妻制に賛同する彼の発言や「女好き」と公言する性格を踏まえれば驚くには当たらないが、カディロフ自身は存在を隠してきた。第二夫人の氏素性や住まい、財産といった詳細は、二一年四月にロシアの独立系ウェブ・メディア「プロエクト」の調査報道で暴かれた。

そのリポートによると、彼女の名前はファティマ・ハズエワという。グロズヌイ郊外の村の貧しい家庭の出身だ。一四歳だった〇六年に出場したチェチェンの美人コンテストで二位に輝き、カディロフの目に留まった。二人の年齢は十数歳離れている。ハズエワはカディロフ公邸に隣接した豪邸に暮らしているとみられ、モスクワにある彼女名義の三つの高級物件は計約五〇〇万ドル相当という。

カディロフには同郷出身で二歳年下の第一夫人メドニがいる。彼女との間には一〇人の子供がおり、他に養子が二人いる。メドニ名義のモスクワの物件も計約三〇〇万ドル相当とされる。イスラムの教えにのっとり、二人の夫人たちに「同じだけの物」を与えるよう配慮しているようだ。

## 歪められるチェチェンの伝統

ロシア国内で浮いた存在となっている現代チェチェンだが、その伝統や独自の価値観とは本来どのようなものか。すでに登場しているが、私たちは国立チェチェン大学を訪ねて副学長のタマラ・マザエワにインタビューした。ふくよかで穏やかな女性だ。真新しく立派な校舎の外壁にはカディロフ父子の大きな肖像が向かい合う形で掲げられている。

「チェチェン人には厳しくも美しい伝統があります。共和国首長（カディロフ）が私たちの伝統を復興させ、保護しているのを好ましく思います。多様性こそが世界の存在する条件です。自然の多様さ同様に人類も多様なのです」。マザエワはこう話を始めた。

――チェチェンの伝統とは。

「チェチェン人は過去の全ての戦争において、自己の独自性を守るために戦ってきました。私たちにはかつて一度も社会的不平等は存在せず、農奴も奴隷もいませんでした。チェチェン人は常に平等だったのです。首長は若者たちがこの伝統を愛するよう努めています」

現代のチェチェンでは満足な働き口を得られない若者が少なくない一方、縁故によって公職を得る人々もいる。カディロフ縁戚の若きグロズヌイ市長はその典型だろう。これは「平等の伝統」とは正反対の現象ではないだろうか。私は頭の中に疑問符を浮かべつつ、質問を続けた。

――他にはどんな伝統があるのでしょう。

「家族内での美しい相互関係があります。息子には何が許され、娘には何が許されるのか、明確に定義されています。文化の核であるこれらの価値観が洗い流されれば、チェチェン人は存在しなくなってしまいます。チェチェンの娘は自分の恋人について父親と話してはいけません。母親とのみ許されます。これは必ず守られています。古風で興味深い伝統もありますよ。チェチェン人の若者が戦場へ赴くとき、彼は自分の母親に死ぬことへの許可を求めるのです。儀式のように彼は母親へ歩み寄り、『私が死を迎える可能性について許しを与えてください』と言うのです。もし母親が『神にとってあなたの死は好ましくない』と言ったら、彼は戦場へは行かないのです。この伝統は今も生きています。チェチェンでは二つの戦争がありました。その際にも若者たちはみんな母親に死の許可を求め、許しが出たときにだけ戦場へ向かったのです」

確かに古風で厳かだ。ただ、息子が戦死した場合、出征を許した母親たちは悲しみと同時に自責の念に駆られるかもしれない。二つの戦争は多くの若者の命を奪った。

宗教にまつわる伝統もあるという。「私たちチェチェン人はスーフィズム（イスラム教神秘主義）を信仰しており、それに関わる独自の習慣があります」。マザエワ自身、スカーフで髪の毛をしっかりと覆ったムスリマである。

「チェチェン人の墓地では金持ちも貧乏人も全て同じような墳墓です。神の前ではみんな平等だからです。私は母の墓に木を植えようとしましたが、お年寄りがやって来て言いました。『娘が木を植えることのできない母親がどれだけいるか知っているのか』と。これが私たちの伝統なのです。

こうしたものがたくさんあります。例えば子供を人手に渡すことはしません。夫婦が離婚したり、夫が死亡したりすると、夫の父親や兄弟は残された妻に対して『我々と一緒に暮らしたいならここで子供を育てよ。我々がお金の面倒は見る。もし再婚したいならばすれば良いが、子供は一緒には行かせない。我々が育てる』と言うのです。これは決まりです。男系親族は子供を譲り渡しません。

伝統によってチェチェン社会は支えられ、私たちは厳しい条件下でも生き抜けたのです。（第二次大戦中に）チェチェン人の強制移住があった当時も伝統文化が私たちを救った。移住先では飢饉が起きましたが、何とか食料を分け合ってみんなが救われたのです」

チェチェン人が過酷な現代史をくぐり抜けてきたのは序章の略史で触れた通りだ。その裏には助け合いの文化があったのだとマザエワは言う。安定と裏腹に心理的には過酷と見えるカディロフ支配下のチェチェンでは、果たしてその面の伝統文化は生きているのだろうか。

宗教についてはもう少し聞いてみたい。現代のチェチェンでは紛争からの復興の一環でイスラム教礼拝所（モスク）が各地に建てられ、信仰心は高まっているように見える。モスクを訪ねれば、熱心に祈りをささげる人々の姿がある。

――紛争前と比べてイスラムの影響力は強まっているのでしょうか？

「私の考えのみを話しましょう。戦争の悲劇とストレスとが人々を神に向かわせました。これは一般的なことです。チェチェン人は常に神を畏敬してきました。チェチェン人は勇敢とよく言われますが、その勇敢さは『信心深い人間は死を恐れない』という事実によってさらに強められているのです。別の言い方をすれば、威厳を持って死と向き合えるということです。ある女性の息子は戦場へ向かうに際して、ほほ笑みながらこう言ったそうです。『お母さん、もし僕があなたと一緒にここへ残ったら、みんなの中で今後どうやって生きていけるでしょう？』と。文化は保持されているのです。イスラムは美しくも民主的な宗教です。ヒエラルキーはありません。床に立って神に向かえばよいのです」

平等で民主的というイスラムの本質とチェチェンの現実との間には、どうしても齟齬《そご》を感じざるを得ない。当のマザエワはうっとりとした表情で語った後、眉間に軽くしわを寄せる。

「けれど、伝統が洗い流されることはないとは言えません。紛争中に欧州へ避難した多くのチェチェン人がいま戻ってきて、西欧文化の影響を持ち込んでいます。それは父親を貶《おとし》めたり、乱れた服装であったりといったことです。もしある日、チェチェン人男性が自宅で大人の娘の前を短パン姿で歩くようになったら、チェチェン人はおしまいです。私たちの伝統ではそんなことはあってはならないのです」

「悪徳」は西側からやってくる、という。確かにその影響力が強いことは確かだ。日本を考えても、第二次大戦の敗戦後に戦前以上の勢いで流入した米国文化が家父長的な伝統を大きく変えていった。チェチェンはそうならないというのか。

「ラムザン・アフマトヴィチは私たちの精神と伝統とを復興させようと試みています。チェチェンの伝統では、老人と大人《たいじん》とがいます。大人とは言葉に重みがある人のことで、老人は単に年老いた人です。伝統に則れば、徳のある大人たちが言葉を発しないかぎり若者はどこへ行く権利もないのです。今何が起きているのでしょう？　世界は開かれ、訳の分からないものがなだれ込み、子供たちを扇動しています。開かれた世界は大きな善である一方、大きな災厄でもあります。テレビや携帯電話。子供たちは私たちがいないところで何でも見てしまいます。女らしさの秘密も愛の秘密も何も残っていません。これは民族文化と伝統への打撃です」

マザエワの言わんとするところは分からなくもない。特にインターネットの世界は何でもありだ。ただ、それはそれとして、果たして彼女は現在チェチェンを治めるカディロフを「大人」とみなしているのだろうか。称賛を織り込みながら、機微に触れるところは避けているようにも感じられる。彼女にもう一つ質問を投げかけた。

——現在、チェチェン共和国はどの程度世俗的、または宗教的なのでしょう。

「私が思うに宗教、特にイスラムは何の問題も無く世俗国家と共存できます。イスラム教徒とは何でしょうか？　毎週金曜に喜捨をし、一日五回の祈りをささげます。もし可能ならメッカへ巡礼を行います。これらがイスラム教徒であるために求められる全てです。難しいでしょうか？　私たちは皆、この世界を創造した力が存在することを知っています。私たちにとってそれはアッラーであり、彼と預言者との接触が私たちにとってのつながりなのです」

学術の徒である彼女も信心深いチェチェン人の一人であることが伝わってくる。その彼女にして、イスラムが認める一夫多妻制にも絡んだ警察署長の結婚騒動については言及を避けていた。カディロフが是とした事案にコメントすることで、何らかの累が及ぶことを恐れたのではないか。さらに言えば、マザエワは体制を支える側の立場にある。チェチェンの伝統文化がカディロフによって都合良く歪められ、創り替えられていく状況を表では容認しつつ、伝統を守りたい一研究者としては内心じくじたる思いもあるのではないか。しかし、それは決して口に出すことの出来ない私見となる。彼女へのインタビューは別の章でも引用する。

チェチェンの伝統については男性の声も紹介しておきたい。チェチェン共和国の警察長官兼副内相、アプティー・アラウディノフ（四一）は次のように語った。

「世の多くの人々はチェチェン人の歴史を知らず、非常に歴史の長い民族ということがあまり知られていない。我々は預言者ノアの子孫なのです。世界規模の大洪水の後、我々はノアの一族から派生した。そして過去一度も奴隷、貴族、皇帝がいたことのない世界唯一の民族です。常に人々は平等とみなされ、長老の会議で物事を決定していたのです。

しばしば、チェチェン人は常に戦闘を欲する民族と誤解される。全く逆なのです。我々は平和と繁栄を望んでいる。チェチェン独自の倫理規範には次のような一節があります。『もし戦いを避けられるならば、あらゆる手段を用いて避けよ。名誉を失うならば、むしろ死を選べ。取り返しがつかない唯一のものは名誉である』。歴史上、チェチェン人は何度も苦難を乗り越えてきました。男性の七割近くが死亡したこともある。チェチェンの歴史は戦争また戦争だ。だが、我々の戦争は全て自衛目的のものでした。故郷、同胞、家を守るため立ち上がってきたのです」

旧約聖書の「ノアの箱舟」にまつわる伝説は、チェチェンから南へ約四〇〇キロ離れた南コーカサスのアララト山（標高五一六五メートル）が発祥の地とされる。アルメニアがかつて自国領とし、現在ではトルコ領となっている聖なる山だ。ノアの子孫という伝説はさておいても、チェチェン人を含むコーカサス諸民族の歴史が長いことは間違いない。マザエワもアラウディノフもそろって「チェチェン人は伝統的に平等な民族」と強調した。徳の高い「大人」や知恵のある長老たちが治めるという形での平等社会だ。だが、カディロフ体制の下でその伝統は大きく変質してしまった。縁故や交友関係によってカディロフに近い者たちが高官に登用され、好待遇を与えられている。「大人」の地位をカディロフ一人が簒奪《さんだつ》して権威主義体制を確立し、その言動は号令となってチェチェンを動かしている。

## カディロフ、〝聖なるファミリー〟

復興と変質とが同時進行しているのは、チェチェンの伝統だけではない。イスラム信仰のあり方もカディロフの支配下で変化しているという。モスクワのイスラム研究者マラシェンコは次のように指摘する。

「チェチェンで最も過激なのはラムザン・カディロフです。彼は伝統的なイスラムについて語っているが、彼のイデオロギーは過激主義だ。モスクは社会と政治の中心であるべきで、シャリーア（イスラム法）が幅をきかせなければならない、と考えている。チェチェンに暮らす人々はモスクへ行く義務があり、行きたくないという者には問題が起きうる。ラムザン自身は『過激主義』という言葉を好まず、それは悪罵の言葉と考えている。だが、事実として彼は過激だ」

マラシェンコは「カディロフにとってイスラム教は自身のイデオロギーであり、社会を団結させるための政治的な道具でもある」と付け加えた。実際の姿をグロズヌイで確認してみたい。

連日、気温三五度前後の猛暑が続くグロズヌイ――。私たちが訪ねたのはイスラム教のラマダン（断食月）期間中だったため、昼間は営業しない飲食店がほとんどだった。女性たちは髪をスカーフで覆い、くるぶしまでの長いスカートで街を歩く。ジーンズなど体の線が分かる服装は避けられている。男性の間では、地元で「イスラム教徒の服」と呼ばれる作業着のような上下が普及している。

大モスク「チェチェンの心臓」を訪れるカディロフツィとみられる迷彩服姿の男たち（グロズヌイ／2015年6月23日／毎日新聞社）

夕方、白大理石で作られた壮麗な大モスク「チェチェンの心臓」を訪れ、礼拝の様子を見学してみた。空が穏やかに暮れていく中、人々が三々五々モスクへと吸い込まれていく。ベレー帽を丸めて肩につけた迷彩服姿の男たちの姿も見える。おそらくカディロフツィだ。「彼らの写真を撮ってはいけない」と近くの人から声をかけられた。写真を基に顔や身元を特定されるのを避けているのだろうか。

入り口手前で女性の見学者のために頭巾付きの長袖ワンピースが用意されていた。全身を覆う緑色の一着を選んだ助手のオクサナは、忍者と「オバケのQ太郎」を組み合わせたような姿になってしまい、自ら必死に笑いをこらえていた。彼女はイスラムの戒律に従い、女性専用フロアへ向かう。ここからは別行動だ。

モスクの中へ入ると、ドーム屋根の下に静かな祈りの空間が広がっていた。巨大なシャンデリアや黄金色の壁面装飾で豪華な雰囲気だ。床一面のカーペットの上で、人々は一人で正座して祈りをささげたり、車座になって雑談したりしている。やがて夕べの祈とうを呼びかける「アザーン」が響き渡った。男たちは横に列を作り、立位から頭を床に擦り付けるまでの祈りの動作を繰り返した。イスラム圏ではほぼ共通の眺めだ。チェチェンの人口構成を反映し、若い世代が多い。フロアの三分の一程が埋まっていた。

大モスク「チェチェンの心臓」で夜の祈りをささげる男性たち。地元当局は過激思想の流入を強く警戒している（グロズヌイ／2015年6月23日／毎日新聞社）

祈りが終わって外へ出ると日が落ちていた。ムスリムにとっては一日の断食が明ける時間である。つばなし帽をかぶった男児たちが、もらったばかりの清涼飲料水のボトルやオレンジを握りしめて笑顔で走り回っている。月光に照らされ、ところどころライトアップされたモスクは確かに美しい。冷めやらぬ暑気も相まって中東の国にいるような気分になった。

さて、祈りの姿を眺めているだけでは分からない、チェチェンのイスラムとはいかなるものか。地元のイスラム教最高指導者にあたるムフティーのサラフ・メジエフ（三八）がインタビューに応じることになった。ムフティーとはイスラム法の解釈やその適用を示す資格を持つ者をいい、宗教権威とされている。

チェチェンのイスラム教最高指導者にあたるムフティーのサラフ・メジエフ（グロズヌイ／2015年6月23日／毎日新聞社）

一九七七年にグロズヌイ郊外で生まれたメジエフは、家庭内での宗教教育を皮切りに、著名なイスラム学者からアラビア語やイスラム神学を学んで育ったという。九〇年代には若くして地元のイスラム神学校で教鞭を執り、その後に校長へ就任する。二〇〇五年にはムフティーの顧問に選ばれ、〇七年にムフティー代理へ昇格した。一四年から現職にある。

私たちは約束の時間に合わせて、「チェチェンの心臓」に隣接する共和国イスラム宗務庁を訪ねた。支局助手のオクサナは黄色のスカーフで髪を覆った。奥へと招かれ、応接室に入るとよく冷房がきいている。やって来たメジエフはゆったりとした紫色の上下に膝丈の黒いベストを身に付け、ビロードのような素材の黒い円筒形の帽子をかぶっていた。白いものが多く混じったあごひげ、頬ひげが豊かだ。宗教指導者らしい雰囲気を身にまとい、実年齢よりも年長に見える。メジエフがにこりともせずに着席したのを確認し、私は用意した質問リストを手にインタビューを始めた。

――現在、チェチェンにはモスクが何カ所あり、信者は何人いるのでしょうか?

「チェチェン人は全員がイスラム教徒である。共和国内で礼拝所は順調に増え、聖堂は三一五、建物の一室を使ったものは六一六あり、全部合わせて約一〇〇〇カ所に上る」

メジエフは自信ありげな表情を見せた。無神論を基調とするソ連時代はほとんどの礼拝所が破壊され、ソ連崩壊後は二度の紛争で郷土は荒れ果てた。急ピッチで進む各地の礼拝所建設などイスラム復興はカディロフの強い後押しを受けている。

メジエフは胸を張るようにして話を続けた。

「チェチェン民族の特質は精神教育の習慣に基づく道徳心の高さです。ここが他の民族とは違うところだ。年長者を敬うことなど、チェチェン人の習慣の大半はイスラム法典に合致する。ずっと昔からチェチェン人が保持してきた道徳と精神性は聖なる道に即したものだ。我々はこれをスーフィズムと呼んでいる。イスラムの霊的、精神的な側面だ。そこにおいて真心や善意、神への畏敬を養成してきたのです」

チェチェンでは一七世紀ごろにイスラムが受容されたと言われている。それまでは土着宗教やキリスト教などが信仰されていた。そして、スーフィズム（イスラム教神秘主義）の教えが普及した。神と一体の無我の境地を目指す思想だ。各派によって異なるが、礼拝の最後にアッラーの御名を一〇〇回唱えるといった習慣を持つ。チェチェンでは、中央アジアがルーツのナクシュバンディー派と、中東バグダッドの聖職者にちなむカーディリー派という二つの宗派が広まった。カーディリー派には集団で輪になって大声で神を称える「ジクル」という習慣もある。人々が手拍子、足拍子を取って声をそろえ、ぐるぐる歩き回る姿は迫力がある。

私はメジエフがずっと、ぶつぶつと口の中で何かつぶやいていることに気づいた。そして右手の人さし指には指輪型の計数機をはめ、何かを数えている。アッラーの御名やコーランの章句を唱えているらしい。計数機は現代版の数珠ということか。これもスーフィズムの実践なのかもしれない。立場を考えれば当然ではあるが、信心深さが感じられた。

信心深さと言えば、先に挙げた仏『シャルリー・エブド』紙の風刺画を巡るテロ事件とチェチェンでの反風刺画デモ行進について聞かないわけにはいかない。見解を尋ねると、メジエフの硬い表情が一層引き締まった。

「私たちには預言者を愛する義務があり、愛している。その愛と、風刺画に対する不満とを平和的なデモ行進で表現したのです。もちろん、我々はあの風刺画家に対して非常に不満を抱いています。イスラム教徒を侮辱してはならない。風刺画は人格の歪曲だ。預言者ムハンマドは神に愛された最後の人物です。あの日、一〇〇万ものチェチェン人が街へ繰り出しました。各地域へバスが派遣されたのを見て、人々を強制参加させたと結論づける者もいた。だが、もし組織的に送迎しなければ混乱が生じたでしょう」

あくまで市民の自発的な行動として大規模デモが実施されたという。カディロフ体制下の宗教指導者として、その主張は断固としている。眉間にしわを寄せる彼に質問を畳みかけた。

——欧州ではなぜこのような風刺画が出現すると思いますか？

「それは描いた者に聞いてほしい」

——新聞社員たちがこの風刺画のために殺されました。これは正しいことでしょうか？

「テロについては完全に非難します。そして、テロに劣らず、この風刺画家たちを非難する。なぜなら彼らも敵だからだ。全ムスリムを侮辱した。わざわざ人々を戦いに駆り立て、過激主義を挑発している。過激主義を扇動した者はテロリストと同等です。私たちはプーチン大統領に感謝しています。彼はロシア国内で預言者の風刺画を描くことを禁じたからです。このテロは起こるべくして起きた。『アッラーは人々の間に騒乱をたきつける者たちを呪う』のです」

預言者を侮辱する風刺画家は「テロリストと同じ」と指弾する言葉に、私はしばし言葉を失った。これが、マラシェンコの言う現代チェチェンのイスラムの過激さの一端であろう。論理は整っているが、突出して激しい。妥協の無い姿勢には危うさを感じざるを得ない。「テロは非難する」というが、暴力の許容まであと一歩ではないのか。イスラム過激派との違いはどこにあるのか。

そこで、過激派組織「イスラム国」（ＩＳ）に対する見解を求めた。ＩＳへはチェチェンの若者も参加して大きな社会問題になった（この問題は第五章で詳しく論じる）。

「ＩＳについて言えば、あれは悪魔の国です。イスラムとは全く関係ない。彼らの言説には多くの矛盾があり、ウソが多い。コーランを全て読んで対比する必要があります。彼らはイスラムの学問の素養もないままに決定を下し、啓示の何かを引用し、『アッラーは不信心者を殺すように言った』などと言っているようだ。そして実際に殺害している。

コーランには同時にこんな啓示があります。『他宗教の信者に対して、もしあなた方と宗教に関して戦っていないのであれば、善良かつ公正に接することをアッラーは禁じていない。まことにアッラーは公正な者を愛する』と。『不信心者を殺せ』という啓示が下ったのは、メッカの偶像崇拝者たちが預言者に戦いを挑んで彼を殺そうとし、イスラムを根絶しようとしたときのことです。もし宗教間の対立や紛争がないならば、他宗教の信者と関係を持つことは禁じられていない。実際、ムスリムはずっと非ムスリムたちと一緒に暮らし、良い関係を築いてきたのです。

つまり、コーランを曲解する者たちに問題がある。彼らはイスラムとは矛盾し、イスラム教徒をも殺害する。他宗教の信者がこのようなイスラムを見れば、ひどい宗教だと思うでしょう。ISの存在はイスラムに対する名誉毀損なのです」

メジエフはISに対してはきっぱりと批判する。チェチェンの若者を引きずり込み、ロシアへの攻撃も宣言する敵ゆえに当然の反応とは言えるだろう。ISはプーチン政権の敵であり、カディロフの敵でもある。

「私たちは各地域を回って若者たちを集め、過激派が彼らに送ってくる勧誘の言葉は全て論破している。若者たちは質問を投げかけてくるので、全て説明する。どんな質問にも逃げずに答えています」。メジエフは力を込めて言う。カディロフの指示を受けているといい、最優先の仕事のはずだ。研究者が「過激」と指摘するチェチェンのイスラム指導者が過激派対策に当たっている。この現実にはどこか無理があるように思えてならなかった。実際に多くのIS賛同者が生まれた背景には、こうしたチェチェンの矛盾もあるのではないか。

インタビューの終わりにメジエフはカディロフ父子について思いを熱っぽく語った。

「我々の首長、ロシア連邦英雄のラムザン・アフマトヴィチ・カディロフは神を畏敬する気高い人物です。偉大なイスラム学者を輩出した立派な家の出身だ。チェチェンの復興がかくも迅速だったのは彼の父アフマト・カディロフ師のおかげです。彼は優れた学者であり指導者であった。現首長もその父親に育てられ、全てをよく理解している。大昔からアッラーの道に尽くしてきた聖なる家族です。神がこのような人々を遣わしたのです。彼らのお陰でチェチェン人は闇から光へと戻り、再び自らの脚で立ち上がった。お二人の役割は巨大であり、言葉では言い尽くせない」

聖家族――。絶賛を超えて神格化といってよいほどの言葉が繰り出された。父子を礼賛することは想像の範囲内だったが、公式見解としての個人崇拝がここまでとは予想していなかった。体制内の宗教家トップとしては、こう語るのが当然なのだろう。心からの言葉か否かは判断が難しい。いつもは口数の多い支局助手のオクサナもしばしば絶句した。

気を取り直した彼女は「著名なアフマト・カディロフ師の後に同じ職を務めるのは大変ですか?」と尋ねた。父カディロフも元はチェチェンのムフティーだった。

この質問にメジエフは初めて表情を緩めた。「責任重大で大変だが名誉でもある。アフマト・ハッジ師は偉大なムフティーだったので、名誉なことです」。名誉と繰り返したのは本心なのだろう。

カディロフ体制を宗教面から支える人物の言葉を私は興味深く受け止めた。カディロフ一家への礼賛、個人崇拝と強く結びついた形でチェチェンの「イスラム化」は進められている。首都グロズヌイの大モスク「チェチェンの心臓」が「アフマト・ハッジ・カディロフ記念」と冠されているのは一つの象徴だ。同様に中部アルグンで一四年に完成したモダンな大モスクは、カディロフの母親の名前をとって「アイマニ・カディロワ記念モスク」と命名された。一家を「聖家族」と持ち上げる動きは堂々と進められている。

さらに一九年には欧州最大とうたう巨大モスク「ムスリムの誇り」が中部シャリに建造された。プーチンとカディロフの会談で話題になったあのモスクである。シャリは人口五万人強の地方都市に過ぎないが、このモスクは三万人を収容するという。高さ六三メートルの尖塔四本と四三メートルのドーム屋根が壮麗な白亜の建築物である。最終的に「預言者ムハンマド記念」と冠されたが、当初は「ラムザン・カディロフ記念」とする計画もあったと報じられた。落成式は亡きアフマト・カディロフの誕生日に合わせ、プーチンはラムザンに電話して祝福した。二人の親密な関係によって、チェチェンに働く「遠心力」は中央から放任されている。

## 人権活動家のカディロフ批判

カディロフ体制は宗教も動員して権威の強化に励んできた。プーチン政権がそれを黙認する一方で、ロシア国内の人権活動家たちは批判を強めている。その急先鋒が著名な人権活動家、スヴェトラーナ・ガンヌシキナだ。

一九四二年生まれの彼女は、ソ連崩壊に先立って民間の手による難民支援活動を始めた先駆者である。単科大学で数学教師の仕事を続けながら、九〇年に設立した非政府組織（ＮＧＯ）「グラジュダンスコエ・サデイストヴィエ（市民の協力）」を率いてきた。アルメニアとアゼルバイジャンが対立するナゴルノ・カラバフ紛争で故郷を追われた難民を救援したのを皮切りに、チェチェン紛争発生以降は主にチェチェン難民や現地での人権抑圧の問題に取り組んでいる。ロシア大統領直属の人権委員会メンバーを務めた経験があり、クレムリンも一目置かざるを得ない存在だ。

ただ、プーチン政権はＮＧＯへの抑圧を強めている。市民活動が反政府運動に転じることを恐れ、国外から資金を得て「政治的活動」を行うＮＧＯを「イノストランヌイ・アゲント（外国の代理人）」として登録し、管理を強化する新法を一二年に施行した。ロシア語で「アゲント」という単語はスパイや手先といった意味もあり、国内での評価を低下させる狙いは明白である。

ガンヌシキナらのＮＧＯも一五年四月、この「アゲント」に登録されたが、組織の公式サイトに難民たちの写真を掲載して「私たちはこうした外国人の代理人です」とアピールした。政府の抑圧をユーモアで切り返している。

カディロフ体制を批判するロシアの人権活動家スヴェトラーナ・ガンヌシキナ（モスクワ／2015年6月5日／毎日新聞社）

私は一五年夏のチェチェン入り直前、彼女に会いに行った。モスクワ市内のＮＧＯ事務所を訪ねると、廊下は相談に訪れた人たちで混み合っている。案内された小部屋にやって来たガンヌシキナは柔らかなウェーブのかかった白髪を短くまとめ、小柄で優しげな雰囲気だ。きびきびと実務的な様子は七〇歳を越える年齢を感じさせない。私は早速、質問を始めた。

――チェチェンの人権状況をどう見ていますか。

「チェチェンにはいかなる人権も存在しません。ロシアの憲法も法律もあそこでは有効ではないのです。唯一の法律がラムザン・カディロフの命令です。彼が命令を下せば、みんなが無条件に従います。従わない者は厳しく罰せられる。このことを理解してください」

迷いのない語り口の裏には様々な実体験があるに違いない。チェチェンの厳しい人権状況は以前からなのだろうか。

「状況はどんどん悪化し、幅広い領域にラムザンの命令が及ぶようになりました。例の警察署長と少女の結婚が可能になったのは、ラムザンが許可したからに他なりません。彼は、女性の伴侶選びという私的領域にまで介入したのです。市民がどのような衣服を着るべきかについても彼は指示しています」

私が現地で見た女性の長いスカートや作業着のような男性用の「イスラム教徒の服」がそれに当たるようだ。その背景にはイスラムがある。

――カディロフはイスラムを利用しているのでしょうか。

「私は、彼が利用しているのはイスラムだとは思わない。確かに彼はイスラムの章句から引用しますが、彼が正しく信奉しているとは言えないのです。例えば、イスラムは家庭の問題に国家が介入することを奨励していません。チェチェンの伝統も同様にこれを奨励してはいません。ラムザンはおそらくコーランをきちんと理解していない。彼は『ワッハーブ主義者（イスラム教の一派でロシアではイスラム過激主義者の代名詞）を殺さなければならないとコーランに書いてある』と言いますが、ワッハーブ主義が登場したのはコーランができてからはるか後のことです。コーランの『食卓』章には『殺人を犯した人間は人類全体を殺したのと同じだ』

と書いてあります」

ガンヌシキナは詩を愛する女性だが、カディロフ体制を批判する舌鋒は鋭い。そして言葉の端々から憤りがにじむ。共にチェチェンの状況改善に取り組む仲間たちも弾圧の被害に遭っているからだ。彼女は迷いのない口調で話を続けた。

「ラムザンは完全なる服従を要求します。例えば、彼は二月二三日の『チェチェン人強制移住の日』を記念するのを禁じました。これに従わず、去る一四年二月に地元の社会活動家ルスラン・クタエフがチェチェンで強制移住に関する円卓会議を開いたのです。翌日、参加者はカディロフに呼び出されましたが、ルスランは断りました。彼がしたことは完全に合法です。ところが、その後に彼の車は警察に止められ、車内から麻薬が発見されたということにされました。彼はスポーツマンで喫煙も飲酒もしない。麻薬などナンセンスです。彼は暴行された上で裁判にかけられ、証拠も無いのに禁錮四年の刑に処せられました。いま刑務所にいます。彼は反体制派ではありません。ラムザンの命令に二度従わなかっただけです」

スターリン時代の強制移住はチェチェン人にとって民族的悲劇だ。ただ、ロシア中央との関係を考えたとき、カディロフにとっては不都合な史実なのだろう。その彼の振るまいが、大粛清を行ったスターリンと二重写しになることは何とも皮肉だ。

——チェチェンには言論の自由がないのでしょうか。

「チェチェンにはどんな自由も存在しません。いま例を挙げましたが、会議を開いただけで四年間の自由刑です。これはプーチンがカディロフを支えてきたことの結果なのです。もしプーチンの支えが無かったら、彼がこれだけ多くの人々に害を与えながら権力を維持することはできなかったはずです。チェチェンには血の復讐の伝統が残っています。チェチェン人の半数はラムザンに対して復讐関係にありますが、じっと耐え忍んでいます。

多くのチェチェン人は暴政について考えないように努めている。これはチェチェンに独特なことではありません。ナチス・ドイツのユダヤ人強制収容施設に関するドキュメンタリーを思い出します。施設周辺の住民は『当時、施設の方は見ないようにしていた』と語っていた。また、ソ連市民は独裁者スターリンの存命中、彼について考えたりはしませんでした。ドラゴンに勝てないなら愛するしかない。その方が楽だし安泰です。人は終わりのない戦いは欲しません。特に戦うだけの力が無いときは……」

彼女は青灰色の瞳で真っすぐに私の目を見ながら、カディロフ体制の本質を語る。独裁的な権力者の暴政と人々の忍従。トランプ米政権の登場などで民主主義への信頼が大きく揺らぎ、中国やロシアなど世界中で権威主義国家が台頭している現代において普遍的なテーマだ。チェチェンでなぜ人々は黙っているのか。ガンヌシキナの分析は続いた。

「カディロフ体制が続いている理由として別の側面もあります。紛争後にグロズヌイは復興されました。もはやロシア軍はチェチェンの都市を砲撃しません。この二つの事実について、多くの市民はカディロフのおかげと考えています。もしいま反カディロフで立ち上がったとしたら、全てが一から始まってしまうと考えます。チェチェンの人々は恐ろしい二つの戦争を生き抜いたのです。戦争の再現は望んでいません」

ソ連崩壊後の混乱を二度と繰り返して欲しくない思いからプーチンを支持し続けるロシアの中高年層とどこか似た心理と言えないだろうか。もちろんチェチェンのそれはより深刻だ。

「チェチェンを訪ねたら真新しい住宅街や整備された道路を見るでしょう。人々は『全てが順調』と言うでしょう。しかし、違う人々もいます。私が一番恐ろしいと感じたのは、『戦争当時の方が良かった』とある人が言うのを聞いたときです。『我々は当時は戦っていたが、今は死んでいくばかりだ。ただ、麻酔状態で静かに死んでいく』と」

カディロフ体制下の不正や腐敗に対する憤りを押し殺し、感情を麻痺させてただ生きている人たちがいるというのだ。長く現地で活動してきた彼女の言葉は重い。柔らかなしわが刻まれた両手によって助けられた人々はどれだけいることだろう。

――チェチェンの市民から助けを求める声は今も寄せられていますか?

「もちろんです。日々、チェチェンを出ることを余儀なくされた人々がやって来て、『何とか生活できるよう助けてほしい』と支援を求めます。子連れの母親もいます。彼らはでっちあげの罪を押しつけられるのを恐れて逃れてきたのです。

また、紛争で家を破壊された住民も大勢やって来ます。特に多いのは（スラヴ系の）ロシア人。補償金を受け取れていないのです。私たちの援助で何らかの補償を勝ち取った人々もいますが、その実現は非常に困難なのです。

部屋を他人に占拠され、取り戻せない人たちもいます。所有権を示す書類が戦火で焼けてしまい、文書を保管している行政機関もないからです。何もかもを失った支援相手に『ありがとう』と言われると、私は自分を詐欺師のように感じて落ち込みます。ある音楽教師の女性は一時、母親と駅舎の片隅で暮らさざるを得ませんでした。ひどい話です。やむを得ず家を離れた国内避難民にはどんな地位もなく、住居は提供されません。国家が自国民の面倒を見ないのです」。彼女の双眸《そうぼう》に小さな怒りの炎が燃えているように思えた。

## カディロフツィとカディロフ基金

ロシアの中で異質化が進むチェチェンの現体制を考える際には、それを支える「暴力装置」の存在にも触れる必要がある。第一章の末尾で研究者のマラシェンコが言及したカディロフの親衛隊「カディロフツィ」はその主たる存在だ。現地情勢に詳しいガンヌシキナに実態を聞こう。

――カディロフツィとは何者なのでしょう。

「ラムザンに仕える手勢です。ロシアのイワン雷帝に『オプリチニキ』がいたのと同様の存在と言えるでしょう。彼らが従う唯一の権威はラムザンです。そしてチェチェンのみならず、ロシアの他地域でも好き勝手に振る舞い始めている」

一六世紀にロシアを治めたイワン雷帝のオプリチニキとはツァーリ直属の親衛隊で、恐怖政治の手先だった。雷帝の絶対権力を確立するため、反対派の貴族を処刑に追い込んだ恐るべき存在だ。ただ、雷帝の暴政で国は荒れ、その王統であるリューリク朝が途絶えてロマノフ朝へ移行する元凶となった。現代チェチェンのオプリチニキ＝カディロフツィは共和国の外でも活動していると、彼女は言う。

「モスクワでのある交通事故では、一人のチェチェン人男性がそばを通りかかり、事故当事者の片方に『助言』を始めたそうです。駆けつけた警官が注意すると暴れて拘束されました。しかし、すぐに釈放されてしまった。カディロフツィだったからです。警察でさえ『手を出せない』と言います。彼らはモスクワでもサンクトペテルブルグでもまるで主人のように振る舞っている。銃器を所持し、非常に危険な存在です。ロシアにはカディロフツィとそれ以外という二種類のチェチェン人がいるのです」

強権を振るうロシアの治安当局ですらアンタッチャブルなカディロフツィ。恐るべき存在だ。

――彼らが拘束されないのはカディロフとプーチンの親密な関係によるものでしょうか。

「もちろんですよ。みんなが知っています。昨年（一四年）一二月、私たちがモスクワで記者会見を開いた際、三人のカディロフツィがやって来たときの話をしましょう」

ガンヌシキナは少し苦い表情を見せた。あまり思い出したくない記憶に違いあるまい。

「私が地下鉄駅から会場へ向かっているとき、路上の男たちがチェチェン語で話しているのに気がつきました。トランシーバーで何か指示を受けているのです。黒い上着と帽子を身に付け、外見からすぐカディロフツィと分かりました。そして、彼らは会見の会場にまで入ってきました。人権活動家の仲間が登壇したとき、彼らが生卵を投げ出したのです。数人が被害に遭いました。けれど、刑事事件にもならなければ、乱暴行為に対する行政事件にもなっていない。何もないのです。私たちは警察に陳述書を出しました。以来、捜査は継続中だそうです。全てがビデオカメラで撮影されているのに何を捜査しているのでしょう？　犯人の一人の身元は判明し、捜査が必要なのは誰が指示したかだけ。けれど、この事件は事実上終結してしまいました」

彼女たちの活動は目の敵にされているのだ。ガンヌシキナは小さくため息をついた後、右手の人さし指を立てながら言った。「強調しておきたいのは、クレムリンの支持がなければ今のカディロフは存在しなかっただろうし、チェチェン共和国におけるこれ程までの状況悪化はなかったということです」

正鵠《せいこく》を射た指摘だろう。プーチンへの密着を目指すような表向き従順なチェチェンの「求心力」ゆえに、異形化を強めるカディロフ体制の「遠心力」は放置されてきた。二つの力は表裏一体なのだ。

私は特派員としてロシアで仕事を続ける中で、国内メディアにおけるカディロフの目立ち方やチェチェンの異質さに興味を持った。ロシア国内でのチェチェン報道は時として「またあいつらが変なことをやっている」という異端視や揶揄《やゆ》が含まれている。そう私は感じていた。こうした報道は少数民族チェチェン人への蔑視をも生むものだが、一方でカディロフツィに関するガンヌシキナの話を聞くと、ロシア国内ではむしろチェチェンに対する恐怖の感情が強まっているのかもしれない。

ロシア全体ではプーチンにとってのオプリチニキというべき連邦保安庁（ＦＳＢ）が力を持っている。プーチンの出身組織であるソ連・国家保安委員会（ＫＧＢ）を前身とする治安・諜報機関である。しかし、「遠心力」の働くチェチェンではそのＦＳＢすら優位ではないと聞く。この点も彼女に尋ねた。

――カディロフとＦＳＢが対立しているとの報道もあります。

「彼らは違法行為の権利を巡って競争しているのです。そしてチェチェンではカディロフが勝っています。ＦＳＢは時に法の存在を思い出します。ＦＳＢはこの国の『主人』であることに慣れていましたが、彼らのことを考慮しない全く別の『主人』が現れたのです。カディロフはチェチェンの警察も自分の息がかかった組織にしている。現地のＦＳＢは権力を失っているのです」

日本の岩手県とほぼ同じ広さのチェチェンに、カディロフの王国が姿を現しているかのようだ。

もう一つ、チェチェンの特殊性を象徴する謎めいた組織がある。それが慈善団体のアフマト・カディロフ基金である。正式名称は「ロシア英雄アフマト・カディロフ記念　地域公共基金」という。カディロフの亡父の名を冠し、母アイマニが理事長を務める。そのアフマトが〇四年五月に爆殺された五カ月後の同年九月、基金は連邦法務省に登録されて正式発足した。創設者にはカディロフら共和国政府の最高幹部が名を連ねた。

「カディロフ基金はチェチェン共和国にとって連邦予算と同じくらい重要であると同時に、ロシア国内で最も透明性に欠けた非営利法人だ」。ロシアの有力紙『コメルサント』は端的にこう指摘する。同紙は一五年六月、この基金に関する調査結果を報道した。

基金が公式サイトでアピールする活動内容は、チェチェン内外での医療施設の修繕や障害者支援、困窮するソマリアへの物資支援といった慈善活動をはじめ、モスクの修復工事、聖地メッカへの巡礼のあっせんなど宗教関連活動も含まれる。一方、多額を費やしてグロズヌイで総合格闘技の国際大会を主催したり、マイク・タイソンやヒラリー・スワンクといった海外セレブを招待したり、二〇〇組の集団結婚式を開いたりしたこともある。

『コメルサント』紙の調査では、財務諸表が公開されていた一二年の基金残高は九億一六〇〇万ルーブル、一三年は一四億五〇〇〇万ルーブルだった。人口百数十万人の共和国における慈善団体としては破格の資金力と言ってよいだろう。それも公式データに現れた部分のみである。ロシア国内のNPOは法務省に財務報告の義務があるが、カディロフ基金は数年にわたってそれを怠っているという。

さらに『コメルサント』紙は企業データベースなどを駆使し、基金の傘下企業と関連企業がチェチェン域内で多くの商業活動や建設・不動産事業を行っていること、それらの企業の経営陣はカディロフに近い人物が占めていること――などの事実を報じた。同基金グループが、公共事業などを通じてカディロフと周辺に潤沢なカネを行き渡らせる「環流装置」になっているとの疑惑だ。さらにもう一つの問題がある。基金はチェチェンの公務員やビジネスマンから半強制的に募金を徴収しているという。共和国の公務員は収入の約一割を寄付しなければならない、と同紙は報じた。

慈善団体という「表の顔」の裏で、税金の環流や人々の無理強いされた寄付が権力周辺を潤し、また権力者の人気取りに恣意的に使われているという疑いが濃厚なようだ。

「あの基金については、みんなが自発的に寄付しているとされています。しかし、こんな実例があります」。そう言って人権活動家のガンヌシキナは基金にまつわる生々しい話を教えてくれた。

「チェチェンに住むあるドイツ語教師の男性が勤務校の校長に『寄付はしません』と告げると、『ならば、君の給与全額を基金へ送るよ』と脅されました。この校長いわく、『学校としてまとまった金額を出すよう要求されている。あなたが寄付しないと他の誰かがあなたの分も寄付することになる』と。彼は抵抗手段を見つけられず、その後にドイツへ移住しました」

チェチェンに詳しい研究者のマラシェンコも興味深い話を明かした。「大企業経営者たちからカディロフがいくら資金を徴収しているかは秘密のベールに隠されている。ただ、その代わりにカディロフは彼らに事業拡大を許す。チェチェンでは物事は単純ではない。数百万ルーブルを渡している人々を知っているが、その見返りとして彼らはカディロフとうまくやることができる」

まるでヤクザのショバ代のようである。私はこうした話とつながる一つの証言をチェチェン現地取材で得た。六〇代の中小企業経営者が匿名を条件に話してくれたことだ。小さな観光関連企業を経営する彼はかつて建設業も営んでいたが、数年前に事業を売却したという。「チェチェンでは全ての独立系の建設会社は事実上の現場監督事務所と化してしまった。完工すると資材費と人件費だけ支払われる。利益のない商売は商売じゃない」。彼は苦々しい表情で言った後、「オフレコだよ」と私に念を押した。カディロフ基金グループに代表される権力周辺の企業が建設利権を握っているのだ。

私は現地取材に際し、可能なかぎり基金についても尋ねた。愛国バイク集団「夜の狼」チェチェン支部長のアリビー・ムタエフが「基金は支部のバイク購入費を支給してくれた」と無邪気に明かしたことはすでに触れた通りだ。また、国立チェチェン大学副学長のタマラ・マザエワによると、同大の優秀な学生二〇〇人超が英国やドイツへ留学しており、「費用全額をラムザン・アフマトヴィチが基金から出してくれている」と誇らしげに語った。体制支持層にとっての基金は、カディロフの気前の良さを示す「打ち出の小槌」のように受け止められている。

一方、チェチェンの地方幹部である南部イトゥムカリの行政地区長、ハムザット・テミルブラトフは「公務員給与からの控除などはない」と語気を荒くした。続く反論は十分興味深いものだった。「基金には自前のビジネスがある。農場があり畜産があり、缶詰工場や給油所もある。我々のはした金など必要ない。基金がどこから資金を得ているのか、我々が心配するところじゃない」

首長補佐を務める体制派の人権活動家ティムール・アリエフ（四一）には、「基金の資金はどこから来るのか？」と単刀直入に尋ねた。彼の答えはこうだ。「基金にはいくつもの系列企業がある。大きな建設会社もある」。報道の一部と合致する話だ。ただ、その後で煙に巻かれた。「カディロフ首長はアッラーがいかにして我々に全てを与えているかを説明している。だが、頭と足の位置を反対にしたがる人々がいる」。そう言って早々にこの話を打ち切った。

カディロフが牛耳るチェチェンの現状を憂えるガンヌシキナは、私に釘を刺すように言った。「現在のチェチェンで何が起きているのかは、住民の一人としてそこに暮らさなければ本当のところは分からない。ちょっと訪問するだけではチェチェン社会の深いところは見えない。見えるのは、『今や何一つ問題はない』という外観のみです。チェチェンの人々を守れなかったのは私たちの罪です。現地では誰もが『ラムザン・カディロフを愛している』と言うことを予想しておくべきです。そして彼らのうち多くは心からそのように言うでしょう。チェチェンへ行ったら、非常に注意深く行動しなければなりません。あなたにとって危険なだけでなく、あなたと話した人々にとっても危険だからです」。

チェチェンの異境化の闇は計り知れぬほどに深い。

# 第三章　紛争からの復興

## グロズヌイの摩天楼

青空の下、街路樹の緑や住宅街のベージュ色、レンガ色が織りなすパッチワークが四方に広がり、なだらかな山の稜線へと続いている。足元近くを見下ろすと、碁盤の目のように整備された街並みに十数階建ての新しい集合住宅が並ぶ。その一部の外壁には、馬にまたがった故アフマト・カディロフや、彼とプーチンが握手する様子の巨大壁画が描かれている。北西へ目を転じれば、四本の尖塔が削りたての鉛筆のようにそびえる大モスク「チェチェンの心臓」。近くには未整備のまま残された空き地もあり、計画では地上四三五メートル、一〇二階建ての巨大なアフマト・タワーが建設される。

これがカディロフ率いる現代チェチェンの誇る摩天楼群グロズヌイ・シティーからの眺めだ。私たちは地元政府当局の許可を取ってシティーの一棟、三〇階建てのビジネスセンターの屋上にのぼった。一眼レフカメラを手に三六〇度全ての景色を撮影しようと歩き回る私の前に、広報担当の男性がふいに立ちふさがる。「向こう側は撮影禁止です。首長の官邸があるので」。首を伸ばしてのぞくと、なるほど広大な豪邸が街の一等地を占有している。空豆型の敷地は水濠で囲まれ、宮殿風の建物の他にサッカー場や体育館らしき建物まで点在する。いわば、ここがグロズヌイのクレムリン、〝藩王〟カディロフの城である。官邸からはこの白亜の摩天楼群が美しい借景となっているはずだ。

最高四〇階建ての高層ビル七棟が建ち並ぶこのグロズヌイ・シティーは二〇一一年に完成した。白亜に紺色の窓ガラスをはめ込んだ美しいビル群である。その内訳はオフィスビルや商業施設、三〇〇室の五つ星ホテル、八〇〇室の高級マンションだが、人口約三〇万人のグロズヌイにそれだけの需要があるかは疑問だ。日本で言えば秋田県秋田市がほぼ同数の人口である。さらに加えて父親の名前を冠した超高層ビル建設まで目指すのは、カディロフの自己顕示欲の表れに他なるまい。

最高四〇階建ての高層ビル群グロズヌイ・シティーと大モスクが並ぶグロズヌイ市街中心部（2013年6月2日／Getty Images）

気持ちの良い風に吹かれながら景色を眺めていると、先ほどの広報担当職員がそばにやって来た。「チェチェン戦争当時は兵器の飛来する音をみんな聴き分けていたものです。いま紛争が続いているウクライナ東部の市民に深く同情する」と言って、遠くを見つめた。外見上は完璧なまでに復興が完了しているグロズヌイだが、人の心の中には戦禍の記憶が濃厚に染みついているようだ。私たちは地上へ降りて、市井の人々に話を聞くことにした。

摩天楼群グロズヌイ・シティーから眺めた市街。中央手前に大モスク「チェチェンの心臓」がある（2015年6月23日／毎日新聞社）

本章では、過去の紛争が人々に与えた傷痕を世代や属性ごとに見ていく。現代のチェチェンを探究するに当たって、戦争とその影響、というテーマを抜きにすることはできない。また、戦後チェチェン経済の構造を踏まえた上で、カディロフ体制が期待をかける観光産業の現場を訪ねる。地に足の付いた戦後復興は実現しているのかを確かめたい。

## チェチェン庶民の本音

「戦争までの方が良い暮らしをしていました。今はお金が足りず、休みを取らずに働かなければ……」。グロズヌイの公園で清掃作業にあたる中年女性が漏らした本音だ。彼女と仲間たちには助手のオクサナが声をかけた。仕事の合間に短時間、名前は明かさない条件で取材に応じてくれた。公園のテーブルを囲み、井戸端会議のように話してもらう。

仕事と給与について一人が語る。「仕事は公園や道路の清掃で給与は月額二万五〇〇〇ルーブル（約五万円）。一カ月おきに無給の休暇が挟まれるので、その月は生活のために別の仕事を探します。カフェで働いたり、修理の仕事をしたり。冬季は暖房費がかさみ、部屋代だけで四〇〇〇ルーブルかかる。カフェでは午後五時から夜中まで休憩なしで働いて月に一万七〇〇〇ルーブルです」。楽な暮らしではない。

別の一人が紛争の記憶について独白のように言う。「戦争当時はグロズヌイから二〇キロ程離れた村で生き抜きました。戦争では普通の市民が苦しむのです。ロシア人にとってもチェチェン人にとっても戦争は必要なかった。一体、何のために私たちと彼らの若者たちが犠牲になったのでしょう？　誰かのカネのために？」

半年前の一四年一二月にグロズヌイ中心部で起きたテロも、紛争の記憶と関連付けて語られる。

「あの日、出版センターが襲撃されたとき、私は近くで働いていました。ある建物内で壁を塗っていたのです。銃撃戦の音を聞き、センターから火の手が上がっているのを目撃しました。そして私は飛行機が飛んでいないのを確認してほっとしました。空爆は無いと分かったからです。燃えているだけなら怖くはない」。紛争当時の恐ろしい記憶が彼女たちから消えることはないのだろう。

「みんな戦争にはもうこりごりです。普通に生きたい、暮らしたい。生活は平穏になりました。夜でも出歩けます。戦争を忘れるのは不可能ですが、考えないようにしています。ロマが戻って来ましたね。これは良い兆候です。戦争の直前、彼らは風に吹き払われたように姿を消した。そして戻って来ました。おそらくこれは良いことでしょう」

ざっくばらんと語った彼女たちは再びほうきを手に取り、仕事へ戻って行った。

## 少数派のロシア人住民

つましい暮らしをしているチェチェン人の庶民と同様に、細々と生きているのが紛争を乗り越えたスラヴ系のロシア人住民たちである。二〇一〇年の統計によると、チェチェンの民族構成においてスラヴ系ロシア人は二万四三八二人（構成比一・九二％）に過ぎず、〇二年の四万六六四人（同三・六八％）と比べて半減した。二度の紛争によって域外へ逃れ、戻らない人々が多いためだ。同時期にチェチェン人の割合は九三・四七％から九五・〇八％に増加し、チェチェン共和国はほぼ「単一民族」地域となった。

摩天楼が並ぶグロズヌイ・シティーからカディロフ大通りを数百メートル南東へ歩くと、まぶしく光る黄金色の屋根と十字架が見えてくる。小ぶりだが手入れの行き届いたロシア正教の大天使ミハイル教会である。紛争後に再建され、チェチェンでは少数派のロシア人住民のよりどころとなっている。彼らの声にも耳を傾けよう。

この教会では週五日、無料の昼食会が開かれ、お年寄りを中心に二、三〇人がやって来る。チェチェン全体はラマダンの断食中だが教会の敷地内だけは小さな別世界だ。会堂の隣に簡素な食堂があり、高齢者や子供連れの母親など十数人が訪れていた。合板の壁にはキリストや聖母マリアの教会用カレンダーが貼られ、キリストや聖母マリアの

ロシア正教の大天使ミハイル教会での昼食会に集ったロシア人住民（グロズヌイ／2015年6月23日／毎日新聞社）

肖像画が人々を穏やかに見つめる。

テーブルの上にはパンやスープ、サラダなど日常のロシア料理。一同は祈りをささげた後、食事を始めた。教会内なので女性たちはスカーフで髪をぴっちりと覆っており、その点ではイスラム教徒の女性と共通している。貧しい世帯も少なくないようだ。「高層ビルなんて誰も求めていない」とカディロフの開発偏重路線への憤りの声も漏れた。

「土曜日は礼拝の後、五〇人以上集まりますよ。復活祭にはもっと多く、最大で一二〇〇人くらいの信徒がやって来ます。なぜ日々の昼食会に来るかって？ 人とおしゃべりするためです。ここには慰めがあるから。家に食べるものが無いからという人もいます」。エプロン姿できびきび働く世話役の女性ジーナ（六三）は言う。教会には子供の日曜学校や幼稚園、遊び場もある。訪れるのはチェチェンに長く住むロシア人、紛争後に仕事を求めてやって来たロシア人、軍人とその家族だという。ジーナは「戦争後に来た人々は決まって地元出身のロシア人よりも暮らし向きが良く、地元出身者は就けないような良い仕事に就いています」と明かす。ロシア人同士でも格差があるようだ。

昼食会がお開きになったところで、ジーナに座ってもらい、紛争の記憶や現在の暮らし向きを聞いた。

「私が年金生活に入ったとき、最低受給額の月一四〇〇ルーブル（約二八〇〇円）と言い渡されました。三〇年も働いてきたのに年金関連の証明書類が戦争で全部焼けてしまい、公文書も失われたからです。公務員は満額の年金を受け取っているのに、全てを失って奇跡的に生き残った人々には何もないのです。裁判を起こして権利回復するためのお金すらありません。私たちの部屋と家財はロシア軍の兵士に燃やされてしまいました。彼らはわざと焼いたのです。チェチェン人の隣人たちが衣服や食べ物を与えてくれるなど助けてくれました。家を焼いた兵士たちには報復してやりたいくらいです」

穏やかそうな彼女の口から堰《せき》を切ったように憤りの言葉があふれ出た。第二次チェチェン紛争が彼女の人生を破壊し、国は援助の手を差し伸べようとはしない。モスクワの人権活動家スヴェトラーナ・ガンヌシキナが支援してきた人々と同様のケースだ。

「戦争当時、人々はチェチェン人とロシア人に分かれたのではありません。人間と汚らわしい者たちとに分かれたのです。地下室に避難していたとき、その建物には大きく『リュージ(ここに人々がいる)』と書いていました。空爆されないようにと願ったからです。けれど、結局どこも空爆され、榴弾も撃ち込まれました。部屋を焼かれた後、チェチェン人の隣人がかくまってくれた。けれど彼らの部屋も破壊されてしまって、私たちは一緒に幼稚園の地下室に避難しました。そこも破壊されて住めなくなると、イングーシ人の友人が私たちを自分の家へ呼んでくれました。彼らは私たちにとって親族同様となりました」

血みどろの戦火の中で、民族の違いなど意に介さない人間同士の助け合いがあった。紛争後も苦労が続いたという。

「戦争後、私たちは自分の部屋に戻りました。マンションの外側は修理されて見た目は悪くありません。でも、今も蛇口から水が出ないのです。容器に入れて四階まで運ばねばなりません。室内の修理は誰もしてくれません。賠償金は一切ないのです。仕事を探すのも非常に難しい。知り合いのチェチェン人が助けてくれて、一緒に仕事へ連れて行ってくれました。みんな大変なのです。かつてのグロズヌイには多くの工場がありましたが、戦争中に破壊されてしまった。私はもう全てに疲れました……」

紛争前も紛争後も庶民のレベルではチェチェン人とロシア人は助け合って暮らしている。なぜ紛争が必要だったのか、何のために数万もの市民が命を落とし、また平穏な暮らしを奪われなければならなかったのか。こうした痛切な問いは彼らの心から決して消えることはないだろう。

ジーナは紛争前を振り返りつつ話を閉じた。「ロシア人とチェチェン人は一緒に仲良く暮らしてきました。チェチェン人たちは豚肉やサーロ（豚脂身の塩漬け）を食べないというだけ。でもこれについても、私たちはいつも一緒に冗談にして笑っていたのです」

別の日、全く違うタイプのロシア人住民に話を聞く機会を得た。紛争後にチェチェンに移住した一人、地元ラジオ局でパーソナリティを務めるアーシャ・ベーロワだ。彼女は第二次チェチェン紛争中の〇二年、ロシア政府傘下の青年全国組織「イドゥーシエ・ヴメスチェ（共に行く者たち）」の一員としてグロズヌイに入った。この組織は〇〇年に結成され、プーチン政権を支持する愛国青年たちの行動部隊として反体制派を攻撃するデモなどを行っていた。その後、〇五年にさらに親プーチン色の強い「ナーシ（我々の）」に改編され、一三年には活動を終えた。

大学生だった彼女はしばらくチェチェンの学校で代理教師を務め、大学卒業後に戻ってきたという。地元出身のロシア人男性と結婚し、娘を産んだのちに離婚したが、グロズヌイにとどまった。彼女にとって紛争後のチェチェンの印象は明るい。

「戦争が終わるとすぐ、チェチェン人たちは優しく人間的になりました。私はもうどこへも引っ越すつもりはありません。頭金を貯めてマンションを買おうと思っています。グロズヌイは安全です。子供を一人でお使いに出しても、ちゃんと品物とおつりを持って帰ってくると確信できます。ここではよその子供という考え方はないのです。ロシア本土でこんな風に子供たちに接する土地はどれだけあるでしょう。私は三つの仕事を掛け持ちしています。朝五時からラジオのモーニングショー。昼間は寝て、夕方には子供たちに砂絵を教えています。休日にはガイドとして旅行者を案内します。楽しいですよ。暑い盛りには少し涼しいのでモスクに行くこともあります」

まだ若い彼女は戦火の辛酸をなめたジーナたちとは決して交わらないところにいる。それでは、幼い頃に紛争を体験したチェチェン人の若い世代はどうなのだろうか。

## トラウマに苦しむ大学生

若者の実態については、再び国立チェチェン大学副学長のタマラ・マザエワのインタビューから答えを探したい。

――学生たちを見て、過去の紛争の影響を感じますか？

「もちろんです。学生の中には雷を怖がったり、気絶したりする子さえいる。雷が鳴ると自然に体が震えるのです。私は震えの止まらない女子学生をぎゅっと抱きしめたこともあります。この子たちは上空を軍用機が飛び回り、日々避難を強いられた時代に育ったのです。彼女は『死んでしまえばこんな怖い思いもしないのに』と辛い気持ちを吐露しました。戦争から健全なものは生じない。もしかしたら予期しないような攻撃性が出てくるかもしれません」

自らの執務室で取材を受けたマザエワは険しい表情を見せ、小さくため息をついてから話を続けた。

「チェチェンには今も自分の息子を見つけられない母親たちがいます。生死不明の息子を持つ母親たちにとってはせめて遺骨が見つかって埋葬できたら、それはお祝いの日になると言われるほどです。行方不明の息子たちは数千人いるのです」

紛争下のチェチェンでは戦闘への参加や巻き添え被害に加え、身代金目的の誘拐や殺人、拷問などあらゆる悪事が横行していた。死者、行方不明者は数知れない。

マザエワは語気を強める。「墓も遺体もないのは恐ろしいことです。こうした母親たちがどんな日々を過ごしているか、想像してみてください。そんな環境の中で行方不明者の弟や妹にあたる子供たちは成長してきたのです。彼らは戦車が走った轍《わだち》の残る場所で遊んでいた。大人はストレスを乗り切る方法を見つけられるかもしれません。しかし、子供たちはどうでしょう……」。打ちひしがれた親たちに育てられた世代がチェチェンには存在するのだ。

――こうした子供たち、いまの学生たちはどんな将来を望んでいるのでしょう?

「戦争に放り込まれた子供たちは貧しい暮らしを強いられました。彼らは価値のある人生を送りたいと願っています。単にお腹いっぱい食べられれば良いという人生ではなく、人から蔑まれないことを望んでいます。仮に彼らを侮辱したら激しい反応が返ってくるでしょう。彼らは空腹には我慢できても侮辱だけはされたくないのです。教員たちは非常に慎重に学生と付き合う必要があります」

「戦中世代」特有の激しやすさがあるのだとマザエワは言う。そして「価値ある人生」への志向も重要なポイントだ。後に詳述するが、イスラム原理主義を掲げた過激派組織「イスラム国」（ＩＳ）にチェチェンの若者が続々と参加した背景には幼少時からの経験が影響しているのかもしれない。ただ、彼女によるとこの世代特有のプラス面もあるという。

「この子たちは戦争の土ぼこりの中で育ち、義務教育レベルの教養を身に付けていませんでした。けれど、世の中には『代償の法則』が働いているのです。不可抗力の恐ろしい出来事で多くの人々が亡くなると、突然にして非常に才能ある子供たちが現れるのです。彼らの頭の中はアイデアで一杯です。様々な研究者やビジネス・インキュベーターを本学へ招いて講義やトレーニングを実施してもらっています。これが、戦争の中で育った子供たちを社会化するために私ができることです」

彼女の言葉に、あるフレーズが頭をよぎった。〈健康で教養があり、精神性豊かな若者を育成することは我々の戦略的課題だ！〉大学の外壁に掲げられた首長ラムザン・カディロフの巨大壁画のスローガンである。確かにチェチェンの復興にとって人材の育成が重要なのはその通りだろう。だが、壁画のスローガンには「体制に従順な」というキーワードが隠されているように感じてしまった。

インタビューに戻ろう。マザエワは紛争当時の大学をしみじみと振り返る。

「あのころ、大学の試験に自動小銃を持って訪れる学生もいました。ある日には空爆を受けて、学生と教員とで一緒に建物内から遺体を運び出しました。大勢の学生がこの大学構内で亡くなった。それでも大学は閉鎖されずに続きました。学生は激減していたけれど、大学の理念を守ろうとしていたのです」

再建された美しいキャンパスには血に塗れた記憶が眠っていた。そして今の学生たちは紛争の中で怯えて育った世代だった。副学長の彼女によれば一五年現在のチェチェン大学の総勢は学生約一万七〇〇〇人と教員約七〇〇人。その大半は紛争を経験し、生き抜いた人々だという。

## 戦争を知らない子供たち

大学生よりもさらに下の世代には紛争の影響はあるのだろうか。東部シェルコフスカヤにチェチェン唯一の子供用公立保養所「ラードゥガ（虹）」が開所したばかりと聞き、私たちは訪ねてみることにした。子供たちが長期休暇に楽しく共同生活するための保養施設はソ連時代には全国各地にあった。だが、チェチェンでは紛争で破壊され、ようやく復活したのである。

首都グロズヌイから現地へは車で約一時間という。検問を通ってグロズヌイ市外へ出ると農村地帯に入り、なだらかに起伏する大地に牧草地やトウモロコシ畑が広がる。やがて通過する村はロシアの文豪トルストイにちなんだトルストイ・ユルトである。第一次紛争では激戦地だったというが、今では穏やかな様子だ。さらに進むとロシアの国営石油大手ロスネフチのマークが入った石油タンクや炎を吹き上げるパイプ、地をはうパイプラインなどが交差する地域に入った。規模は小さいがチェチェンは今も産油地帯なのである。快晴の下、道はほこりっぽくなり舗装が荒れてゆく。馬や牛が放牧されて田舎らしい景色だ。車窓から見える草原は花盛りである。薄いピンクや黄色の花々が流れ過ぎるのを眺めるうちに、目指す保養所に到着した。門の外にも子供たちの声がかすかに聞こえてくる。

「ここは何もかもが楽しい！」中へ入ると夏休みの子供たち二六〇人が弾けるような歓声を響かせていた。保養所「ラードゥガ」は森林も含む七ヘクタールの敷地にプールや宿泊棟など充実した施設がそろう。共和国各地の孤児や片親の子供たちを主な対象としたパイロット施設で、七歳から一四歳の子供たちが三週間ずつ泊まりがけで休暇を過ごす。格闘技の強さで名を馳せるコーカサスらしく、レスリングやボクシングに取り組む男児の輪はひときわ活気がある。パンチの応酬やレスリングの絞め技、寝技はかなり本格的だ。森の中のアスレチックやサッカーも人気があるようだ。カメラを向けると笑顔でファインダーが埋まった。

事務室を訪れ、保養所支配人のタマラ・ゲレメエワ（四〇）に早速話を聞いた。真っ青なスカーフを頭に巻いた、きりっとした女性だ。

「今月、施設が開所した際には連邦政府のトピリン労働大臣やカディロフ首長が来訪されました。私たちの首長は子供用施設に対して非常に配慮してくれています。何か必要になったときにはいつも、ラムザン・アフマトヴィチにお願いすることができます」。彼女は開口一番、カディロフの名前を挙げた。

——こんな施設の復活は一〇年前には想像できましたか？

「もちろん信じられなかったです。破壊されたグロズヌイを見るたび、戦争当時を思い出しました。チェチェンの子供たちが復興した街を見ることになるなんて想像もしていなかった。全てが予想もしない短期間に実現したのです。復興したというより、以前より良くなりました。私たちはラムザン・アフマトヴィチにとても感謝しています。彼こそ真のムスリム。他者の痛みを自らの涙として目にためるような方です。彼がしてくれたことを無駄にしないよう、我々はきちんと対応する義務があります」

首長のカディロフに対する手放しの賛辞が語られた。「ラードゥガ」の充実した設備は彼の尽力に負う面は確かにあるのだろう。また、公立施設の支配人である彼女にとって

子供用公立保養所「ラードゥガ（虹）」でスポーツに取り組む子供たち（チェチェン共和国東部シェルコフスカヤ／2015年6月25日／毎日新聞社）

カディロフは最上位のボスである。とはいえ、熱のこもった話しぶりには個人崇拝のにおいが確かに感じられた。こうした青少年施設や学校での教育を通じて、若い世代に自然にカディロフ体制支持の思想が浸透していくのだろう。

続けて、私は一番聞きたい質問を彼女にぶつけた。

——子供たちに紛争の痕跡は見て取れますか？

「今やありません。共和国は完璧に復興し、痕跡を与える前提がないのです。子供たちは完全に平和な時代に適応して落ち着いていて、心理的にもバランスがとれています。今の世代はかつての子供たちとは違うのです」

幼少時のトラウマに苦しむ若者世代とは異なる新しい世代が育ちつつあるという。

「私たちの施設が対象とする子供たちはすでに戦後の世代です。一四歳以上の子供たちでさえ、戦争中がどうだったかを覚えていません。私たちは彼らが戦争について話すことを望んでいません。かつてのあの恐怖について話してほしくないのです。私たちだけでもう十分。彼らには今の善きこと、楽しいことだけを見せたい。チェチェンの子供たちだけでなく、世界中の子供たちがそうであってほしい」

ゲレメエワはふいに涙をにじませ、ハンカチで目元をぬぐった。私は一呼吸置いてから質問を続けた。

――チェチェンで再び戦火が起きるようなことはあるでしょうか？

「あんなことはもう二度と起きないと心の底から信じています。ウクライナで起きている紛争を見ると、とても心が痛みます。彼らにもラムザン・アフマトヴィチのような人が現れるよう心から願っています。罪ある人々は苦しまず、ごく普通の市民ばかりが苦しむのです。私は過去のひどいことを思い起こすことはしません。思い出さないよう努めています」

ゲレメエワは偽りなくカディロフに心酔しているようだ。そして紛争が彼女の胸の奥に与えた傷は相当に深いと私は感じた。思い出したくない、語りたくない記憶があるに違いない。

――二度の紛争について責を負うべきは誰だと思いますか？

「当時の私はあまりに若かったので、それを判断するのは困難です。今も結論を出すのは難しい。一つ確かなのは私たちが生き抜き、起きた事実を決して忘れないということ。人それぞれ自分にとっての真実があります」

青春時代を紛争の中で過ごした世代のゲレメエワはそう言って話を終え、うつむいた顔をゆっくり上げると実務的な表情を取り戻していた。一瞬静まりかえった部屋に外で遊ぶ子供たちの遠い声が聞こえた。

## 語られる戦争、語られない戦争

チェチェン市民の胸裏には「戦争はもう嫌だ。穏やかに暮らしたい」という切なる思いがあることを私は再確認した。そして、人々のこの思いがカディロフ体制の安定をもたらしているのもまた事実であろう。

現代のチェチェンにおいて二度の紛争はどのようなものとして語られているのか。本章後半に登場する南部イトゥムカリ行政地区の地区長、ハムザット・テミルブラトフ（六〇）が語った次の言葉が象徴的と感じられる。

「プーチン大統領とアフマト・ハッジは勇気ある一歩を踏み出し、全てがチェチェン人の手に委ねられた。そしてチェチェン人は自らこの戦争に終止符を打った。プーチン大統領はアフマト・ハッジとラムザン・アフマトヴィチに全てを委ね、秩序が生まれた」

チェチェン紛争は悪しき混沌《こんとん》であり、プーチンとカディロフ父子が秩序と平和をもたらしたという見方だ。チェチェン人自らがロシアからの独立を目指した第一次紛争についてはほとんど語られず、イスラム過激派の台頭で内乱状態となった第二次紛争の奈落が強調される。これが一般的な語られ方のようだ。

当のラムザン・カディロフは二〇年六月、父アフマトが第二次紛争中の〇〇年六月にプーチンからチェチェン共和国暫定行政長官に任命されて丸二〇年の節目に以下のような文章をSNSに投稿した。

〈二〇年前、プーチン大統領は私の愛する父を暫定行政長官に任命する法令に署名しました。これは私たちの共和国の最も悲劇的な時期になされた。激しい戦闘とテロ攻撃が行われ、五一カ国から送り込まれたテロリストと戦闘員が暴れていたのです。政治、宗派、地域、氏族などによって分断されたチェチェンの人々は計画的に滅ぼされ、罠《わな》へと追い込まれたのです。共和国は廃墟となり、何千もの人々が平和と保護とを求めて故郷を去った。アフマト・ハッジが暫定行政長官に任命されてようやく、チェチェンの人々は生命と平和への希望を得ることができたのです。父は数年間で他の誰一人として成したことのないことをやり遂げました。戦争を止め、チェチェンの地で不幸と悲劇を引き起こしてきた原因を根絶したのです〉

カディロフは、「チェチェン紛争のチェチェン化」すなわち自分たち父子への〝委託〟の始まりとなった父の長官任命をこのように称えた。また、「五一カ国から送り込まれたテロリストと戦闘員」と述べていることにも注目したい。カディロフはチェチェン紛争を「ロシアを滅ぼすために欧米が差し向けた外部勢力との戦いだった」というストーリーに落とし込み、この線に沿って繰り返し語っている。これは、「欧米主導の『カラー革命』によってウクライナなど旧ソ連諸国で親露政権が倒されている。ロシアも狙われている」というプーチンの偏執的な主張に歩調を合わせているように見える。

エリツィン政権時代の第一次紛争については、カディロフは九四年一二月の勃発から二五周年の節目となる一九年一二月にＳＮＳへまとまった文章を書き込んだことがある。勃発当時、カディロフは一八歳だった。

〈戦争は決して忘れられはしません。「戦争は息子を生むのではなく、戦争は息子を殺す」という地元のことわざの正しさをチェチェンの住民は開戦後すぐに確信しました。大規模な空襲と砲撃に家々が焼かれ、民間人が殺され、悲劇は何年も続きました。（中略）全人民の悲しみが前例のないほどに達したとき、アフマト・ハッジ・カディロフが団結と正義の旗の下に人々を結集させたのです。彼は戦争を永遠に止め、チェチェンの精神と経済の復活の礎を築いた〉

概要このように記している。人々を殺した空襲と砲撃はロシア軍によるものだが、攻撃主体には触れない。話は第二次紛争へ飛んで父の偉業を称えることで終わる。第一次紛争当時にはチェチェン人が独立を求め、ロシア連邦政府と戦っていたという事実をあまり語りたがらない姿勢が見て取れる。

一六年にロシア国営タス通信が実施したインタビューでは第一次紛争当時について質問され、次のように答えている。

「九〇年代初頭、チェチェンの多くの人々は独立を望み、(共和国大統領を務めた)ドゥダエフやマスハドフらの言葉を信じていました。彼らが、ロシアの滅亡を夢見る敵によって差し向けられたことを知らなかったのです。九六年八月のハサヴユルト合意は実際には何ももたらさなかった。私も会談の場にはいました。九九年夏、(強硬派指導者の)バサエフがダゲスタンに侵入し、第二次紛争が始まった。私の父はマスハドフとバサエフに反対すると意思表示しました。これは聖戦ではない、イスラム法への裏切りだと言って。そして私たちはワッハビスト(イスラム過激派)とテロリストに対する戦いを始めました」

カディロフは、ドゥダエフやマスハドフといった独立派指導者たちを「ロシアの敵が差し向けた」と決めつけている。ここでは明示していないが、敵とは欧米を指すはずだ。彼の主張では諸悪はいつも欧米からやって来る。

続くやりとりも興味深い。カディロフはこう語る。

「私はチェチェンに現れた五〇カ国の国民と戦った。彼らの中核は西側の特殊部隊員で構成され、チェチェン人民を殺していた」

——連邦政府はどうですか? だって、あなたは彼らにも抗して戦ったのでしょう。

「私は冗談でも本気でも『ロシアの兵士を殺した』と言ったことはありません。そのようなフレーズを発したことはありません！　ネット上で広まっていますが、これは明らかなウソです。第一次紛争の当時、私は武器を手にしつつもまだ幼く愚かで、いつも父のそばにいました。（中略）彼はムフティーとして多くの軍人の命を救ったのです」

ロシア軍人を殺したことがあるかについては明言を避け、救ったという話に切り替えている。第一次紛争当時、カディロフ父子はロシア軍と戦う側にいたのだから殺害経験があっても何の不思議もない。だが、現在の立場を考えれば公言できないのは理解できる。

ここで、コーカサスと縁が深い文豪レフ・トルストイ（一八二八〜一九一〇）晩年の作『ハジ・ムラート』を引用したい。一九世紀におけるロシア帝国の北コーカサス侵略がこの物語の背景だ。ロシア軍に破壊し尽くされた、あるチェチェンの村の住民たちに渦巻く感情を端的にこう綴っている。

〈すべてのチェチェニャ人が経験していた感情は、憎悪以上に強いものであった。（中略）それらを絶滅したいという希望は、鼠や毒ぐもや狼の類を殲滅したい希望と同じように、自衛の感情と同じく、自然の感情というべきであった〉

絶滅したい「それら」とはロシア人のこと。侵略者への憎悪は百数十年の時を経て、二度の紛争後の今も実は存在している。

私は今回の取材旅行で、見知らぬ初老のチェチェン人男性から本音らしき言葉をささやかれた。それはグロズヌイの大モスク「チェチェンの心臓」を訪ねたときのことだった。ふいに近寄ってきた彼は私が日本人記者と知ると、「日本か。素晴らしい。ロシア人は悪い奴らだ。ウダーチ（成功を祈るよ）！」とだけ早口で鋭く言って去っていった。普段は決して口に出せないロシア人への恨みを抱えたチェチェン人も皆無ではないのだ。当然だろう。問題は、抑圧された恨みの感情がチェチェン人テロリストを生む土壌になってはいないかということだ。この点については後の章で検討する。

話を戻そう。カディロフはもちろん、チェチェン市民の「戦争はもう嫌だ」という思いを熟知している。例えば、一六年一月にグロズヌイでカディロフとプーチンへの支持をアピールする大集会が開かれた際、記者団に対して「人々は戦争を望まないこと、ロシア連邦の一員として暮らしていきたいことを示した。我々はチェチェンにおいてもロシア全土においても第三次紛争の勃発を望まない。子供たちにはもう二度と自動小銃を手にしてほしくない。ペンやコンピューター、サッカーボール、ボクシンググローブを持ってもらいたい」と強調した。

平和志向の公言はもちろん悪いことではない。ただ、指摘しておかねばならないのは、カディロフが人々の厭戦感情をも利用して、独裁をほしいままにしているということだ。

## チェチェン経済のからくり

戦後の急ピッチな復興によって豪壮な摩天楼がそびえる一方で、生活苦を抱える住民も少なくないのが現代のチェチェンである。二度の紛争を経て、その経済構造は一体どうなっているのだろうか。

ソ連時代のチェチェンでは地元産の石油を中心とした工業部門が発達していたが、紛争で設備が破壊されて衰退してしまった。モスクワの研究者マラシェンコは次のように解説する。「チェチェンの石油は一九世紀末に発見され、最高品質のものだった。第二次大戦時には精製せずに戦車へ直接給油したことさえあったという。だが、いまや採掘量は非常に少ない。石油技術者によると深い地層に原油は存在するがコストは高くつき、現状では採掘不可能だ」

カディロフの求めに応じて、プーチンは一八年に地元の石油会社「チェチェン・ネフテヒムプロム」の株式全てを連邦から共和国へ譲渡した。同社は製油所やパイプラインを保有するがいずれも老朽化が著しい。石油産業を再興するには多額の投資が必要という。

石油に代わる屋台骨は何か。現代のチェチェン経済を支えているのは、実は公共部門だ。域内総生産の大部分を社会保障や軍事・治安を含む公共部門が占め、次いで卸売り・小売業、自動車修理、教育部門などが続く。つまりは連邦からの資金注入で成り立つ「補助金経済」といって過言ではない。チェチェンの企業上位一〇社のうち四社が建設関連だというのも、税金を投じた公共工事の多さと無縁ではないだろう。

ロシアの有力経済紙RBCのまとめによると、〇七〜一五年の九年間にチェチェン共和国は連邦予算から補助金として計五三九〇億ルーブル(一兆円強)を受け取っている。年額は平均約六〇〇億ルーブル。隣のダゲスタン共和国、東シベリアのサハ共和国と並んで補助金を最も多く受け取っている連邦構成体の一つだ。

〈チェチェン共和国の予算が連邦中央の支援に依存していることは、チェチェンの地域経済に関する最も有名な事実だろう〉と同紙は指摘する。毎年の共和国予算の実に八割が連邦からの補助金なのだ。一四年の人口一人当たりの補助金額は四万一五〇〇ルーブルで、より自然環境の厳しいシベリア各地の連邦構成体や隣のイングーシ共和国に続いて全国八位の多さだ。チェチェン共和国の高官である警察長官兼副内相のアプティー・アラウディノフはインタビューで「ロシアは世界における偉大な国。強大な国家との連携はいつだって好都合なものだ」とうそぶいた。

しかし、チェチェンは紛争終結から時間が経ってもロシアにおける底辺から浮上できない状況が続く。失業率は一四年時点で約一五％とロシア全体の約五％を大きく上回り、チェチェン各地で出会った若者たちからは「仕事がない」との声を聞いた。

都市部を離れると状況はさらに厳しいようだ。「チェチェンの山岳部では仕事は全くない」。東部シェルコフ地区で小作農を営む男性ハンスル（五八）は作業の手を休めて、うめくように言った。山岳地帯にある南東部ノジャイ・ユルト地区出身だが平野部で五ヘクタールの土地を借り、カボチャ、メロン、スイカを栽培している。早朝四時から休憩を挟んで遅いときには午後八時過ぎまで働く。息子四人と娘の手も借りて「うまくいって家族で年収四〇万ルーブル（約八〇万円）」という、かつかつの生活だ。

二〇年現在もチェチェンは全ロシアで最も失業者が多く、最も平均月給が低い地域だ。モスクワの九万四〇〇〇ルーブル、全ロシア平均の四万七五〇〇ルーブルに対して、チェチェンは隣のダゲスタンやイングーシと並ぶ約二万七〇〇〇ルーブルだった。この時点のレートで換算すると四万円弱である。コロナ禍で事態は悪化し、一九年には八％に下がっていた失業率は二五％まで上昇した。

庶民の生活不安をよそにして、チェチェンでは高層ビルや大モスク、道路網の建設が続く。プーチンとカディロフの「御恩と奉公」の特殊な関係によって流し込まれる多額の連邦予算がなくなれば、現代チェチェンの虚飾は簡単にしぼんでしまうだろう。

## 観光産業への期待

経済の再建が停滞する中、チェチェン復興の象徴として力が注がれている分野もある。それが観光だ。大コーカサス山脈の雄大な自然と文化遺産を生かした観光産業は、裾野の広い成長分野として期待されている。観光開発の実態を探るため、私たちは山岳部の二カ所を訪ねることにした。最初に向かったのは、チェチェン南部に位置するイトゥムカリ行政地区だ。スキーリゾートの建設を目指す。ジョージア（グルジア）との国境までは二〇キロ程で広大なロシアの西南端に位置する。

朝、グロズヌイを車で出発した。午前九時で早くも三〇度の猛暑だ。市中心部を出て二〇分もすると共同住宅が連なる街区に入り、やがてなだらかな低い山が見え始める。南へ向かう片側一車線の道路はきれいに舗装されている。ふいに聞こえてきた轟音に車窓から青空を見上げると、軍用ヘリが低空飛行で過ぎ去った。ドライバーの初老男性は「今のチェチェンでは戦争を忘れつつある。良いことだ」と明るく言った。

通り過ぎる村の墓地には墓標がいくつも立っている。その多くは二度の紛争で亡くなった人々のものだ。感傷に浸るのも束の間、道路をゆっくりと横切る放牧牛の群れに遭遇し、徐行を余儀なくされた。すでに周りは山ばかりだ。低い山々が連なり、微妙な山肌の色の違いがグラデーションをなす。車はアルグン川沿いに蛇行する道を少しずつ山奥へと進んでいく。

白髪頭のドライバー氏はハンドルを握りながら、「両親に聞かされた」という昔話を語った。第二次大戦中、チェチェン人はスターリンの命令で強制移住させられ、彼の両親も中央アジアのカザフ共和国（現カザフスタン）に送られた。現地にはソ連に抑留された日本の軍人たちがおり、チェチェン人とも物々交換するなど交流があった――。息子の彼の車に日本人の私が乗っているのはちょっとした奇縁だ。

さらに進むと道路脇の岩肌がむき出しになった場所にたどり着き、車が停まる。「湧き水を飲んでいこう」とドライバー氏が誘った。なるほど、岩の隙間から勢いよく澄んだ水が噴出している。冷たく美味なミネラルウォーターだ。のんびり遠足気分でいると、武装した兵士たちの乗る装甲車が目の前を通り過ぎ、現実に引き戻される。チェチェン山岳部には今もイスラム過激派武装勢力が潜んでいるとされ、「掃討作戦」が続いている。

出発から一時間強でシャトイ村に入った。ここで標高は

チェチェン南部の山岳地帯で遭遇した軍の装甲車（2015年6月22日／毎日新聞社）

五七五メートルだ。平野部よりいくらか涼しい。村の手前には検問があり、治安部隊が目を光らせている。第二次紛争当時の〇〇年二月、この村に立てこもるチェチェン独立派の戦闘員数千人をロシア軍が包囲して激しい戦闘となった過去もある。渓谷に沿った砂利道をさらに進むと携帯電話は時折「圏外」になり、遠くに冠雪した山も見えてきた。次の村の手前にも検問があり、今度はパスポートを求められて入域が記録された。観光地へ行くという気分にはなりにくい。

私たちがずっとたどってきたアルグン川は目に見えて流れが激しくなってきた。道路は川と切り立った崖とに挟まれ、いよいよ奥地へ入ってきたようだ。川の対岸にも険しい崖が続き、ふと見ると、せり出す巨大な岩壁の下にはまり込む形で四角い塔が二つ並んでいた。真下は茶色の濁流だ。石材を丁寧に積み上げた塔は、所々に銃眼のような穴が開いている。

この建造物は地名にちなんで「ウシュカロイの双塔」と呼ばれる。四階建てで高さ十数メートル、一二世紀ごろ建てられた守備用の監視塔とされる。伝説によると長老たちは時々ここへ集まり、人々の相談ごとに答えていたという。貴重な文化遺産だ。川辺の石だらけの斜面にはアザミのような植物が点在し、トゲの間に美しい青い花を咲かせている。

険しいアルグン渓谷はチェチェン紛争の激戦地の一つだった。通称「七七六高地」では〇〇年二月末から三月初旬にかけて、ロシア軍第七六空挺師団の隊員九〇人が独立派のチェチェン人戦闘員二〇〇〇人以上に包囲され、「猛攻を英雄的に食い止めた」とされる。九〇人中生き残ったのは六人だけだ。

プーチンは戦闘から二〇年となる二〇年三月、師団駐屯地があるロシア北西部プスコフを訪ね、追悼コンサートで次のように演説し、国民の愛国心を鼓舞した。「彼らは多勢に無勢の戦いにひるむことなく、最後まで戦って真の勇敢さを発揮しました。彼らは祖国のため戦った父親や祖父、曾祖父らの遺訓を守ったのです。私たちは大祖国戦争（第二次大戦）で戦った先人の功績を忘れはしない。これまでに紛争地帯で自らの責務を果たした人々、現在果たしている人々の功績も忘れはしない……」

一つ付け加えると、第七六空挺師団はチェチェン紛争後も戦地で〝活躍〟している。ロシアの侵攻によって一四年春から続くウクライナ東部紛争にも同師団の部隊が投入されているとの証拠が複数存在している。だが、プーチン政権はウクライナ侵攻の事実を全否定しているため、その戦死者が「七七六高地」のように演説で称えられることはない。

チェチェン南部のアルグン川沿いに建つウシュカロイの双塔（2015年6月22日／毎日新聞社）

車に戻って静かなウシュカロイ村を通り抜ける。再び舗装道路になり、地上を走るガス管が生活インフラの充実ぶりを示す。午前一一時過ぎ、ようやく目指すイトゥムカリ地区の中心、人口千数百人のイトゥムカリ村に到着した。村の入り口にはプーチンとアフマト・カディロフの肖像写真が掲げてある。

「ようこそ、イトゥムカリへ！」スーツ姿で出迎えてくれたのは行政地区長のハムザット・テミルブラトフだ。二階建ての小ぎれいな地区役場の執務室には、例によってプーチンとカディロフ父子という指導者三人の写真が掲げられている。行政地区長はチェチェン政府の地方幹部であり、現体制を強固に支持する一人に違いない。

テミルブラトフは執務机に向かい、取材に応じた。黒灰色のスーツとネクタイで身なりを整えているが、顔は日焼けしている。仕事で出歩くことも多いのだろう。私は助手のオクサナと並んで座り、手帳を開いて地域情勢について質問を始めた。

――チェチェン紛争後、この地区ではどんな変化がありましたか？

「戦争はいつだってひどいものです。戦禍によって街道沿いの村々の大部分が破壊されました。でも、『悪いことがあれば良いこともきっとある』というロシアのことわざの通りです。また、カ国やデンマークの人道支援組織の支援で丈夫なレンガ造りの住宅が建てられました。また、カディロフ父子のお陰で住民は失われた住居や家財の補償金を受け取れたのです。それから、ラムザン・アフマトヴィチはたった三カ月でこの地区まで都市ガスを引いてくれました。かつてのソ連政府は不可能と考え、計画すらしませんでした。彼の首長就任は我々にとってまさに救命浮輪だった。今では暖かく越冬できます」

予想していたことだが、カディロフ礼賛の言葉が次々と飛び出す。テミルブラトフは自信ありげな表情だ。

——現状と紛争前とを比べると?

「今の方がはるかに良いです。チェチェンではどこでもそうです。以前は礼拝所も幼稚園もありませんでした。文化センターも学校も病院も役場も全て新築されました。以前の役場はバーニャ(公衆蒸し風呂)だった建物に入っていたんですよ。連邦政府の特別プログラムで建設されました。ラムザン・アフマトヴィチは頻繁にこの地を訪れます。我々は忘れられてはいないのです」

チェチェンに詳しいロシアの研究者アレクセイ・マラシェンコの指摘を思い出しておきたい。「カディロフはチェチェンに秩序をもたらし、大量の建設事業を実施しているゆえに高い人気を得ている」。事実、こうして辺境の地においてもカディロフ政権は手厚いインフラ整備を行っている。強権支配のムチと抱き合わせとは言え、カディロフの統治が安定している主たる要因であることは間違いないだろう。それは、プーチンとカディロフの特殊な関係があってこその連邦予算の大量投入で実現している。

山村における人々の暮らしはどうか。「地区の失業率は?」と私は尋ねた。

「他所より良いです。共和国平均が一五%なのに対して、当地区は一〇%。民間セクターが活発で人口一人当たりの個人事業主の比率で当地区は共和国トップです。この辺りは良質な蜂蜜がとれることで有名で養蜂家がたくさんいます。牧畜では昔は牧羊が盛んでしたが、今は牛が中心。馬の飼育も増え、畜産は成長産業です。畑作も悪くない。チェチェンでは近年、人々の意識が高くなり、エコロジカルな品が求められる。だから、当地区の産品への需要は大きい。例えば地区内には水力製粉所が二カ所あり、遺伝子組み換えではないトウモロコシの粉を作っています。チェチェン人にとってトウモロコシ粉は食卓に欠かせません」

〝やり手村長〟といった雰囲気のテミルブラトフは意気揚々と地区の産業について語る。チェチェンの中では成功しているエリアとみて間違いないようだ。だからこそ観光という新分野で先陣を切ることになったのだろう。その見通しは果たして。

「我々は幸運でした」と両手を広げながら地区長は語り始める。「ラムザン・アフマトヴィチが当地の美しさを見て、観光業を発展させようと決めたのです。地区内のヴェドゥチ村にはスキーのゲレンデができます。年間を通じてマウンテンバイクや乗馬トレッキングも楽しんでもらえます。開業は三年後の予定で、グロズヌイ空港からリゾートまでを結ぶ快適な道路ができますよ。この地区には塔や墳墓など歴史遺産が数百あり、観光客にとっては見るべきものがあるのです」

元内務官僚というテミルブラトフは胸を張って観光開発計画の詳細を披露した。薔薇色のプランに死角はないのだろうか。ふいに、道中で見かけた装甲車や治安部隊の姿が私の脳裏にちらついた。

——山岳部に潜む武装勢力は障害にはならないでしょうか?

「この地区にはいません。さほど大きくないグループがどこか森の中にいますが、脅威はありません。我々の治安当局が彼らを追い詰めており、もはや森から出てこられません。この地域は平穏ですから、映画監督といった著名人もやって来ますよ。ラムザン・アフマトヴィチは釣りをしにやってきます」

——ヴェドゥチの地雷除去は?

「作業は続いているが、今までに地雷は一つも見つかっていない。他の地区と違って戦闘行為はなかったので誰も地雷を仕掛けていないはずです」

首長特命のプランを手がけているだけあって隙を見せない。ヴェドゥチのリゾート建設予算は銀行からの貸付金一〇〇億ルーブルとチェチェン人企業家が調達した百数十億ルーブルが中心という。地域の命運をかけた大きなプロジェクトだ。

満足そうにインタビューを終えたテミルブラトフは「断食中でご一緒できないが、昼食をごちそうしたい」と私たちを食堂へ導いた。卓上に並ぶ地元料理は、焦げ茶色の肉塊と紡錘形で灰色の不思議な団子だった。ニンニクたっぷりのブイヨンがつけダレとして添えてある。チェチェン名物の「ジジク・ガルナシ（肉の団子添え）」という。骨付き肉は程よく塩気の利いた干し羊肉をゆで戻したもので、しっかりとした歯ごたえだが固すぎることはない。濃い味のつけダレがぴったりだ。団子はトウモロコシの粉を練ってゆでたもので、ほのかな甘みのある素朴な味わい。こちらもつけダレに合う。付近の山では羊や牛を放牧し、トウモロコシも栽培している。地産地消の一皿を堪能した。

食事を終えて外へ出ると、地区長はポロシャツ、ジーンズの軽装に着替えて待っていた。彼の運転するアウディに乗ってヴェドゥチの開発現場へ向かう。山の天気は快晴から曇り空に変わった。イトゥムカリ村を走って行くと、石造りの古い塔が見えた。上へ行くほど細くなる四角錐の建造物で頂点は三角屋根になっている。銃眼のような穴もあり、やはり見張り塔らしい。ゴツゴツとした石積みは素朴だが力強い。帝政ロシアの侵攻に抵抗した歴史を感じさせる。

ポツポツと雨が降り始める中、蛇行する砂利道をぐいぐいと上がっていく。標高は一〇〇〇メートルを超えた。「この道も全部広くなる」と地区長は言う。まもなく山の村落に入った。ここがヴェドゥチだ。放牧地やイモ畑が広がるのどかな景色だが、向かい側の山の斜面には機関銃を搭載した装甲車が三台停まっている。

さらに急斜面を上がり、ホテル建設現場にたどり着いた。鉄筋コンクリートで建物の原型が完成した段階だ。石張りの三階建てに塔も付属し、チェチェン山岳部の伝統建築を模したホテルにするという。同じタイプが点々と八棟作られ、他に低価格帯のホテルが一つできる。正面の山は標高二五〇〇メートルあり、雄大な景色が楽しめるはずだ。足元の斜面を眺めると、黄色い野草の花が咲く草原に馬の群れが寛いでいる。近い将来、ここがゲレンデになるという。「完成したら日本人には値段が高い方のホテルでお金を落としていただきたい」と言って、テミルブラトフはにんまりと笑った。

スキー・リゾートを目指し、伝統家屋を模したホテルの建設が続くイトゥムカリ行政地区ヴェドゥチ。手前が行政地区長テミルブラトフ(2015年6月22日/毎日新聞社)

## 絶景の湖畔リゾート

標高約一八〇〇メートルの高地に澄んだ水をたたえたキジノイアム湖が目の前に広がる。チェチェン南東部の山岳地帯に位置し、遠く雪山も見晴らせる景色はまるでスイスのようだ。全身を伸ばして深呼吸したくなる。ヴェドゥチ村を訪ねた二日後、私たちは山間の湖畔に誕生したばかりのリゾートの取材に赴いた。紛争当時は避難民が集まり、空爆もあったという場所である。グロズヌイからは南東約七〇キロ、湖の一部はダゲスタン共和国に属している。

早朝六時過ぎに出発し、車が平原を走るうちは居眠りしてしまった。目を覚ますと、層を重ねるように連なる山の懐を進んでいる。下方を眺めると草地に住居が点在し、ヤギの群れがミニチュアのように小さく見える。緑のビロードのような山肌を重機で荒々しく削った白い砂利道を上っていく。

右カーブを抜けると濃い翡翠《ひすい》色のキジノイアム湖が見えてきた。湖はT字型で最長部の長さは二・七キロ、幅は七五〇メートル、全周は一〇キロある。北コーカサス最大の湖だ。湖面は陽光をはね返してキラキラと輝いている。カッコウの鳴き声が響き、晴れ渡った空にはトンビらしき猛禽《もうきん》が円を描いて飛んでいる。高地の涼風が心地よい。片道二時間半程で都会の喧噪《けんそう》から遠く離れ、大山脈の中にいると実感できる。

……早朝に、彼は、馬車のなかの肌寒さに目をさまして、なにげなく右手のほうを眺めやった。澄みわたった朝であった。ふと彼は、自分から二十歩ばかりのところに、(最初の瞬間、彼にはそう思われたのである)華奢な輪郭をもった、清く、まっ白な、巨大な堆積と、その頂きと、遠い空とのつくりだす、くっきりとした、夢のような、空気のような線をみとめた。そして、彼が自分と、山や空との距離と、山の巨大さとを完全に理解したとき、そして、その美の限りなさを感得したときには、彼はそれが幻ではないか、夢ではないかと驚き怪しんだくらいである。彼は、はっきり目をさますために身ぶるいしてみた。が、山は依然として変わりがなかった。「あれはなんだね? あれはいったいなんだね?」と、彼は御者にたずねた。「山でさあ」と、ノガイ人はこともなげに答えた。

トルストイの小説『コザック』(中村白葉訳)からの抜粋である。コーカサス山脈を訪れるとそのイメージが頭に思い浮かぶ一節だ。その昔、都会育ちのロシア人が初めて見る巨大な山塊をいかに受け止めたか。おそらくトルストイ自身の感嘆でもあったのだろう。広大なユーラシア大陸に延々と平地が続くロシアにおいて、この山脈は特別な存在感を放つ。『コザック』は帝政ロシア時代の北コーカサスを舞台に貴族出身の若い士官候補生がコサック村に駐在する物語だ。

レフ・トルストイはもっぱら一九世紀の人であり、帝政時代の後期を生きた。若いころ、皇帝ニコライ一世によるコーカサス攻略に下士官として参加したことが作家としての運命を定めたという。その経験が生かされた初期の作品だ。

私たちは昔と変わらず雄大で優しげなコーカサスの山々に囲まれつつ、キジノイアムの湖畔にたどり着いた。空の青、湖の深緑、砂利道の白、山の緑と四色のシンプルな景色だ。前年に開業したばかりの三角屋根のホテルや山小屋風の木造コテージが品良く並んでいる。水辺には散歩するチェチェン人家族の姿が見える。外国人観光客を意識してだろう、ホテルの看板は「HOTEL KEZENOY」と英語表記だ。

「チェチェンにとって観光産業の意義はとても大きい。数年前まで存在もしなかったものが、今では大規模に展開されています」。一帯の公立リゾート支配人、アダム・アスラハノフ(四〇)が私たちを出迎え、胸を張って中へといざなった。広々としたレストランの席につき、くわしい

キジノイアム湖のほとりに建てられた公立リゾート施設。遠くに雪山も眺められる(チェチェン共和国南東部キジノイアム／2015年6月24日／毎日新聞社)

話を聞く。ワイシャツにノーネクタイ姿で生真面目そうな彼はてきぱきと説明を始めた。

湖畔のリゾートには二五〇人まで宿泊でき、二棟目のホテルが完成すると倍の人数を収容できるようになる。プール、サッカー場、トレーニング施設などがあり、バギーや乗馬トレッキングも計画中。美しい湖は水が冷たく深くて遊泳には向かない。ボート遊びには最適だ。かつてボートのソ連代表チームの艇庫があった。ホテル宿泊料は朝食付きの一人部屋で一九〇〇ルーブル、デラックスは五〇〇〇ルーブル。もしスイスで山岳リゾートを楽しもうと思ったら、この数倍はかかるだろう——。

アスラハノフは、チェチェン共和国観光委員会が派遣した雇われ支配人で、欧州からの「帰還組」だ。チェチェン紛争勃発まではトルコに留学していた。紛争中はチェチェンに戻ったが、第一次紛争終結後にトルコで地震が起きたため留学先へ戻れず、代わりに向かったベルギーで一三年間暮らした。彼の半生も興味深そうだ。説明が一段落したところで、私は質問を始めた。

——いつ、なぜチェチェンへ戻ったのですか?

「二年前です。子供たちも大きくなり、郷愁が強くなったので。ベルギーではイチゴ農園などで働きました。地元民、難民、よそ者、学生など国籍も出自も異なる人が一緒に働きました。その際のマネジメント経験は役立っています」

——今の仕事で大変なことは?

「私が当リゾートで働き出して一カ月になります。従業員と向き合うのはいつも大変です。そもそも私自身、サービス業については知らないことが山ほどあり、こんな大規模施設を管理した経験もありませんでした」

客のいないレストランでアスラハノフは伏し目がちに話を続ける。

「もしかしたらこの先、他の誰かに役目を引き継ぐことになるかもしれません。従業員たちには『私が仕事を続けられるかどうかはあなたたちの働きぶり次第。一緒に良い仕事をしよう』と呼びかけています」

支配人の彼は笑顔を見せず打ち明けるように言う。カディロフ特命の開発計画の現場で重責を担い、強烈なプレッシャーを感じているようだ。私は質問の矛先を変えることにした。

――ベルギーから戻ってきて何に驚きましたか？

「たくさんあります。グロズヌイの街並みは欧州同様に美しくなりました。都市部を中心にチェチェンは文明的になりました。人々は以前より真面目で教養があるように見えます」

アスラハノフの顔は少し明るくなった。目鼻の大きな顔立ちは、日産自動車元会長でレバノンへ逃亡したカルロス・ゴーンに少し似ている。

――ビジネスの観点で欧州と比べるといかがでしょう。

「もちろんサービスが欧州と全く同じとは言えません。でも、少しずつ独り立ちしようとしています。キジノイアムでは、もうすぐ舗装道路が完成し、ドライブが快適になります。チェチェンにとって観光産業は重要です。このリゾートを気に入ってくれたお客が一人でもいれば、彼は他の人に話すでしょう。口コミの効果は大きいはずです」

チェチェンの〝迷えるゴーン〟はにわかに前のめりになった。道路整備とリゾート開発。ふと私は、一九八〇年代後半、昭和末期の日本で巻き起こったリゾート開発ブームを思い出した。しかし、チェチェンに対しては紛争当時の印象から来訪を怖がる人もいるのではないだろうか。

「中には怖がる人もいるでしょう。過去のイメージからの誤解はあります。観光産業の発展によって、チェチェンに対するステレオタイプを根絶できるかもしれない。時間が経てば何もかもが変わるはずです」

重圧を感じながらも、彼が懸命に取り組んでいることは伝わってきた。成功を願いたいが、そう簡単ではなさそうだ。アスラハノフはホテルの外で写真撮影に応じ、湖をまぶしそうな顔で見つめた。

私たちは取材を終えて、湖畔からさらに車で山に入った。数キロ先にあるホイ村の遺跡を見るためだ。到着した高台は見晴らしが良い。紫、黄、白と色とりどりの花を咲かせる高山植物の野原が斜面に広がり、前方にはなだらかな山が穏やかに連なる。所々の切り立った崖がアクセントとなって息を呑《の》む絶景だ。

その明るい緑の景色の中に、石組みの崩れた住居跡が点在している。地元では一〇〇〇年以上前に造られたとも言われるが定かではない。一四世紀に中央アジアを支配したティムールのコーカサス侵攻後に作られた村という考古学者の説が有力なようだ。一九世紀後半には二〇〇戸に約二〇〇〇人が暮らしたとの記録があるが、今では痕跡だけが残る「死の町」となっている。平石を積んだ素朴な建物が青空の下で朽ちかけている様子はロマンを誘う。

この地は過酷な現代史の現場でもあった。一九四四年の民族強制移住政策によって村人は一人残らず消え、二度と戻ることはなかった。チェチェン紛争に際しては独立派の隠れ家となり、ロシア軍の攻撃も受けた。それでも廃虚群は残り、静かに野花に埋もれている。近くにはイスラム教受容前のものとされる古い板状の墓石や石積みの塚も林立し、謎めいた紋様が刻まれていた。

## 観光地チェチェンの不安要素

巨費を投じて開発を続ける二つの現場を歩いた。その後、ヴェドゥチのスキーリゾートは一八年に完成している。それぞれに地元の期待は大きいが、チェチェンの観光産業にとって最大の障壁は治安に他ならないだろう。カディロフ体制の下、山岳部に潜伏していた反体制派武装勢力の投降が進み、紛争後の情勢はかなり安定したと言われる。だが、散発的に事件は起きている。

一四年一二月には首都中心部の出版センタービルで武装勢力の立てこもり事件が発生した。警官隊との銃撃戦で双方合わせて約三〇人が死亡し、市民に衝撃を与えた。直近では二〇年一〇月にもシリアから来たとされるチェチェン人四人組がグロズヌイの潜伏先で治安部隊に包囲され、銃撃戦となる事件が起きている。四人は殺害されたが、治安部隊側も二人が死亡した。また、東隣のダゲスタン共和国では爆弾テロ事件が頻発している。「チェチェンは危ない」というイメージは必ずしも偏見と言えないのが現状だ。

キジノイアムを訪ねた翌日、私たちは治安維持の責任者にインタビューする機会を得た。チェチェン共和国の警察長官兼副内相、アプティー・アラウディノフである。目つきが鋭くがっちりした体つきで、いかにも「シロヴィキ（軍・治安関係者）」といった雰囲気だ。

——チェチェンの治安状況は？

「共和国内ではどこへ行っても、護衛がいなくとも誰一人あなた方に手を出す人間はいないと保証できます。戦闘員もテロリストも目にすることはない。どこか別の場所で準備してテロ行為のため潜入してくるような事案をもって、チェチェンが安全ではないということにはならない。国土の安全のため数十億ドルを費やしている米国でもテロ事件は起きている」

──モスクワからチェチェンへ自家用車で来ることは可能でしょうか？

「もちろん何の問題もない。山岳部をドライブするため多くの人々が車で訪れている。我々としては唯一、近隣地域の安全については責任を持てない。チェチェンについては完璧に安全で何の問題もない。やがてはスイスよりも人々が訪れるようになるでしょう」

警察長官は「今のチェチェンはロシアで最も安全だ」と治安状況に自信を見せつつ、域外から潜入するテロリストは防ぎきれないことを暗に認めた。チェチェンとその周辺では息の長い過激派対策が必要といえる。

チェチェンの観光産業にとっては先行する近隣リゾート地との競争もある。ロシアがウクライナから奪ったクリミア半島や冬季五輪を開いたソチが代表例だ。チェチェンを訪れた観光客は一八年には一五年と比べて約二・五倍に増え、大成功のように見えるがそうではない。実数は十数万人に過ぎず、年間約五〇〇万人を集客しているクリミア半島などとはまだまだ比較にならない。紛争で破壊されたためチェチェンの都市部には歴史地区がなく、ロシアで夏のリゾートとして好まれる海もない。ヴェドゥチなど山岳部で立派な施設が完成しても公共交通機関はなく、自家用車やタクシーでしか行くことができない。ロシア経済の停滞が見込まれる中で、観光振興による「薔薇色の未来」の実現は容易ではない。チェチェンが補助金経済から脱却し、真の復興を遂げるための道筋はまだ見えていない。

# 第二部

# 「越境」するチェチェン

# 第四章　やまぬ暗殺とテロ

プーチンとカディロフの親密な関係を軸に復興が進んだチェチェンは、一方でロシアの「内なる外国」と呼ばれるほど異端の道を突き進んでいる。ただ異質なだけではない。過激さを隠さないカディロフ体制の帰結と推測されるのが、ロシア国内外で相次ぐチェチェンがらみの暗殺事件だ。カディロフが直接指示したという明確な証拠はないが、親衛武装組織「カディロフツィ」など配下のチェチェン人が実行犯という事件が複数発生している。狙われるのは反プーチン派の政治家やジャーナリストなどだ。

本章では、ロシアで国家レベルの暴力（テロル）の一翼を担うチェチェンの実態を探る。その暴力志向の「つけ」が、イスラム過激派のテロとしてブーメランのように跳ね返っている現実も見逃せない。まずは近年で最も大きくロシアを揺るがした、ある暗殺事件を詳細に追ってみたい。

## ネムツォフ元副首相暗殺事件

その夜のモスクワは曇り空で、摂氏一度と例年より格段に穏やかな冷気に包まれていた。ロシア政治の中心クレムリンの前からモスクワ川を南へ渡る大橋の歩道に、寄り添う男女の姿がある。二〇一五年二月二七日、深夜のことだ。オレンジ色の街灯が人けの消えた街を歩く二人を照らし出す。車もまばらでスピードを上げて通り過ぎていく。やがて後方から暖色の道路清掃車がゆっくりと走ってきた。歩道をゆく二人に追いついたのが午後一一時三〇分。男女が清掃車の陰に入って見えなくなった数秒後、その付近から別の男が車道に躍り出る。この男は近くに停まった乗用車に飛び乗り、姿を消した。午後一一時三一分、清掃車が通り過ぎると歩道にはカップルの男が倒れている。女は助けを求めて速足で歩き始めた――。

清掃車の陰で暗殺されたのは反プーチンの急先鋒として知られる著名な野党政治家、ボリス・ネムツォフだった。若き日、エリツィン政権で第一副首相を務めた経験を持つ。背中を銃で数発撃たれ、五五歳で絶命した。プーチンが執務するクレムリン（大統領府）のお膝元という象徴的な場所を舞台にした大胆な犯行だった。

ネムツォフは一九五九年一〇月九日、ロシア南部ソチに生まれた。中部の河港都市ニジニー・

ノヴゴロドで育ち、大学まで学ぶ。三〇歳のころに原発建設反対運動で名を馳せ、九〇年にはロシア共和国最高会議議員に選出されて政界入りを果たす。ソ連崩壊後は地元の州知事を経て、九七〜九八年に第一副首相などとして国家中枢で働いた。重要政策を決める安全保障会議のメンバーにも名を連ねていた。

ちなみにそのころのプーチンは、第一副市長を務めたサンクトペテルブルグ市から九六年にクレムリンへ移って数年という時期にあり、破竹の勢いで昇進を重ねていた。九七年三月に大統領府副長官、九八年七月には古巣ＫＧＢの後継機関・連邦保安庁（ＦＳＢ）長官に就任する。エリツィンの信頼を獲得して九九年八月には首相に就き、事実上の後継者となった。第二次チェチェン紛争を力で抑え込む戦略で国民の支持を集め、翌二〇〇〇年の大統領初当選で権力の頂点に立つ。つまり、権力を固める前のプーチンは一時期、ネムツォフと政権内の同僚であり、顔見知りでもあった。二人の年齢を比べると、プーチンが七歳年長だ。

ネムツォフは第一副首相を務めた後はクレムリンを離れ、改革派政党「右派勢力同盟」の創設メンバーとなって九九年末の下院選挙で当選し、〇〇年には下院副議長を務めた。〇三年の下院選で議席を失った後は、プーチン政権と対決する姿勢を明確にする。近年は野党「ロシア共和党・国民自由党（通称パルナス）」の共同代表を務め、ロシアの民主化を訴えていた。一一年末から一二年春にかけて全国で盛り上がった反プーチンの抗議運動で中心的役割を演じている。一四年からのウクライナ危機でも政権による軍事介入を批判し、プーチンにとっては国内に残る数少ない有力な政敵の一人だった。

ロシアの「テーヴェー・ツェントル（中央テレビ）」は事件翌日、自社の固定カメラが捉えた映像を放送した。それが冒頭に再現した殺害シーンだ。ただ、カメラは離れた場所にあって画質も荒く、犯行の瞬間は清掃車に隠れて確認できない。テレビ各局は、黒いビニールに包まれて歩道に横たわるネムツォフの遺体の様子も放送し、市民に衝撃を与えた。

日を追って明らかになった事件の経緯は次の通りだ。ネムツォフはこの日の夜、ウクライナ人の若い女性モデルと赤の広場近くのカフェで食事し、約一・五キロ南に位置する自宅へ二人で歩いていた。その途中、ボリショイ・モスクヴォレツキー（大モスクワ川）橋の上で何者かに銃殺された。犯人は橋

事件現場で死体袋に収められたネムツォフの遺体。奥は赤の広場に建つ聖ワシリー大聖堂（モスクワ／2015年2月28日／Getty Images）

の歩道につながる階段で待ち伏せし、発砲直後に現場へ接近した車で逃走したとみられる。一緒にいた女性は取り調べに「犯人は見ていない」と言葉少なに証言した。事件現場の遺留品は六つの薬莢《やっきょう》だけだった。

なぜ彼が狙われ、誰が襲ったのか。ネムツォフは事件二日後の三月一日にモスクワで大規模な反プーチン・デモを計画していた。また、ウクライナ東部紛争におけるロシアの軍事侵攻を証明する報告書も準備中だったという。約一年前の一四年三月にウクライナ南部クリミア半島のロシア編入をプーチンが宣言して以来、国内では愛国主義が高揚し、政治的な寛容さが急速に失われていった。そうした時期に事件が起きたのである。野党勢力側は「プーチン政権による口封じ」との見方を強めた。

「プーチンなきロシアを！　戦争はいらない！」――三月一日午後、クレムリンの横を流れるモスクワ川沿いの車道はロシア国旗を掲げる人波で埋まった。国旗に付けられた喪章の黒リボンが寒風にたなびく。野党勢力は予定していた反プーチン・デモをネムツォフ追悼のデモに切り替え

暗殺された野党指導者ボリス・ネムツォフを悼んでデモ行進する市民（モスクワ／2015年3月1日／Getty Images）

たのだ。鉛色の曇り空の下、着ぶくれた人々は沈痛な表情で歩を進める。ネムツォフの顔写真に「彼は自由なロシアのために闘った」と書き添えたプラカードがいくつも掲げられた。

主催者発表で七万人以上とされる参加者数は、二〇一一年一二月に下院選の不正疑惑を巡って約一二万人が集まった抗議集会以来の規模だ。技術者のセルゲイ・ソコロフ（六〇）は「著名な政治家さえ守られないとは恐ろしい。この国はどこへ行くのだろうか」と硬い表情で語った。参加者たちは「このままのロシアではいけない」と口々に語り、射殺現場までの約一・五キロを歩いた。対する政権側は、大統領報道官のペスコフが「ネムツォフ氏の支持率は低く、プーチン大統領にとっては政治的な脅威ではなかった」と強調する。政権寄りの識者たちも「政権のイメージ失墜を狙ったものだ」とメディアで訴え、事件はロシアの不安定化を狙った「何者かの挑発」との見方を喧伝《けんでん》した。

事件八日後の三月七日、捜査当局が容疑者の男二人を拘束したと発表する。拘束されたのは「北コーカサス地方の住民」とされるザウール・ダダエフ（三三）、アンゾール・グバシェフ（三三）の両容疑者だ。この日の夜、事件の続報に国内はざわつき始める。容疑者の一人、ダダエフがチェチェン共和国の内務省軍人と判明したからだ。それも下位の兵士ではない。内務省軍傘下で地元の治安維持を担当する特殊部隊「セーヴェル（北）」大隊の副司令官で、中尉だったのである。セーヴェルは、〇六年に創設されたカディロフの手駒というべき組織だ。すなわちダダエフは「カディロフツィ」の幹部の一人ということになる。カディロフは当初、今回の暗殺について「欧米の情報機関が組織的に行った」との見方を示していた。

もう一人の容疑者グバシェフはモスクワ郊外のスーパーの警備員だった。二人は親戚同士で、チェチェンに隣接するイングーシ共和国で拘束された。翌八日にはグバシェフの弟ら男三人の拘束も発表される。ダダエフは殺害への関与を認めたと報じられた。

ダダエフの拘束を受けて、カディロフは八日、SNSに自身の見解を書き込んだ。「彼はロシアの愛国者で、最も勇敢な隊員の一人」と強調し、母親の病気を理由にセーヴェル大隊を先に退職していたと説明した。そして、「彼は信心深いイスラム教徒で（預言者ムハンマドの風刺画を掲載した仏週刊紙）シャルリーエブドに衝撃を受けていた」と言及する。『シャルリー』紙の風刺画を巡るパリでのテロ事件はこの年の一月に起きていた。カディロフは、風刺画事件と今回の暗殺が関連しているとの見方を世間に流した。

その意味するところは何か？　連邦捜査委員会は暗殺事件翌日、仮説の一つとして『シャルリー』紙関連の脅迫から殺害に発展したとの可能性も挙げていた。パリでのテロ事件に関連して、ネムツォフがSNSにロシアのイスラム教指導者への批判を書き込んだことがあったからだという。チェチェンの首長であるカディロフは自ら、配下だった人物による自発的な犯行の可能性を示唆し、ネムツォフ暗殺は「イスラム冒涜に絡む宗教殺人」との仮説を後押しした。この説がロシア国内で主流となれば、プーチン政権とは無関係の事件として落着する。だが、カディロフはプーチンに忠誠を誓う人物として知られ、ダダエフはその部下にあたる。カディロフや政権周辺の関与を疑う野党勢力側の不信感は一層強まった。

その後、事件は迷宮入りの様相を呈していく。

殺害から一〇日あまり過ぎたころ、大衆紙『モスコフスキー・コムソモレツ』は、実行犯とみられるダダエフが以前からネムツォフの行動を監視していた可能性を報じた。同紙によると、容疑者グループは今回の犯行に使われた車を一四年九月に入手し、ネムツォフの自宅付近を走っている姿が目撃されていた。ネムツォフがこの年八月、「ウクライナ東部の紛争にチェチェン人傭兵が参加している」と批判したことを受け、行動を監視していた可能性があるという。この報道が真実であれば、翌年のパリ風刺画テロ事件は後付けの理由となり、イスラム冒涜への怒りが犯行動機との仮説は成り立たなくなる。

米国の対露制裁との関連を指摘する見方も浮上した。ドイツ有力紙『フランクフルター・アルゲマイネ』は情報機関筋の話として、ロシアによるクリミア強行編入後、米国がロシアの要人に個人制裁を科した際にネムツォフがリスト作成に協力していたと報じ、米国への協力が事件の背景にあるとした。かたや、ロシアの独立系『ノーヴァヤ・ガゼータ』紙はチェチェン共和国の治安機関高官が殺害を指示していたとの疑惑を報じた。また、容疑者たちの弁護士は「五人とも世俗的でイスラム過激派ではない」と述べ、事件と宗教との関係を否定した。何が真実なのか。

事件から四カ月が経った一五年六月、チェチェンに詳しい人権活動家のスヴェトラーナ・ガンヌシキナに話を聞くと、次のような感想を漏らした。

「私が嫌だなと思ったのは、プーチンが『我々は殺害犯が誰か知っており、すでに発見した。全て問題ない』と言ったことです。容疑者たちの弁護士の一人は私へのメールで『プーチン氏は彼らに宣告を下した』と書いてきました。裁判がまだ開かれず、捜査も終結していないのにどうしてプーチンはあんな物言いができるのでしょう」

ネムツォフ暗殺事件に対するプーチンの発言を確認しておこう。事件翌日、プーチンは連邦捜査委員会、内務省、ＦＳＢに捜査グループを組織して報告をこまめに上げるよう指示した。その際に「今回の事件は〝注文殺人〟の特徴を有し、挑発的な性格がある」と述べた。

事件から二カ月経った一五年四月には、大統領が国民の質問に答える毎年恒例のテレビ生番組に出演し、捜査状況を尋ねる日系の野党政治家イリーナ・ハカマダの質問にこう語った。

「ボリス・ネムツォフは私を厳しく批判していたが、二人の間には友好関係がありました。

恥ずべき悲劇的な事件です。捜査について言えば、発生の一日半後には捜査官は犯人の名前を知っていました。捜査機関はうまく機能し、様々な機関がそれぞれ同じ結果に達しました。（殺害の）注文主がいたかどうかはまだ分かりません。今後の捜査で判明していくはずです」

確かに、注文主の有無を除いては断定口調である。捜査機関への指示を考慮すれば、プーチンは事件の一日半後にはカディロフツィが捜査線上に浮かんだことを知っていたはずだ。では、カディロフツィを動かしたのは誰か？　ガンヌシキナはやるせない表情で「この事件の捜査は迅速に進むことでしょう」と口にした。黒幕が明らかにならないまま終わるとの予想だ。

私がウクライナ紛争の取材でよく話を聞きに行ったロシアの軍事評論家、アレクサンドル・ゴルツも事件直後に次のような見方を語っていた。

「本当のところは誰にも分からない。プーチンがこの計画殺人について何も知らなかったという説も排除できない。ロシアの政権内部では、様々な人間が上層部を喜ばせよう、何か〝良いこと〟をしてみせようと試みている。だから、容疑者のチェチェン人たちが自発的に〝良いこと〟をしたという可能性もある。彼らは、プーチンやカディロフがネムツォフを嫌っていることを知っていた」

ロシア国内では「暴力装置」である各種の治安機関やカディロフツィといった存在がせめぎ合っている。反プーチン派が暗殺されたら、それは直ちにプーチンの指令による、と短絡することはできない。ゴルツは付け加えた。「もう一つ重要なのは国内を覆う憎悪のムード、異なる意見への不寛容だ。今、これがロシアを支配している」

## 守られたチェチェン上層部

事件発生から九カ月が経った一五年一一月、新たな動きがあった。チェチェンの内務省系特殊部隊セーヴェル大隊の元隊員ルスラン・ムフディノフが国内不在のまま起訴され、国際指名手配されたのである。そして翌一二月、連邦捜査委員会はこのムフディノフこそがネムツォフ暗殺事件を〝注文〟し、犯行グループを組織した主犯と発表した。

明らかに奇妙な捜査結果だった。ロシアの一部メディアはかねて、セーヴェル大隊司令官だったルスラン・ゲレメエフという将校が事件に関与した疑いを取り上げていた。ゲレメエフはチェチェン選出の上院議員スレイマン・ゲレメエフの甥にあたり、カディロフ体制を支えるエリートの一人といえる。一方のムフディノフはそのルスラン・ゲレメエフの運転手と報じられていた。被害者ネムツォフの遺族の担当弁護士は「捜査委員会の発表は真の犯罪者を打撃から遠ざけた。ムフディノフはネムツォフ殺害の動機を持ち得ない。これはラムザン・カディロフへの新年に向けた贈り物に過ぎない」と捜査の異常さを訴えた。

事件から一年後の一六年二月、チェチェン報道で名を馳せる独立系『ノーヴァヤ・ガゼータ』紙が調査報道によるスクープを放つ。プーチンが事件三日後に指揮役を含む犯人グループについてＦＳＢから報告を受けていたという内容だ。ＦＳＢ長官の報告を基にしたという記事によると、実行犯はセーヴェル大隊副司令官だったダダエフであるとの見方で変わらない一方、殺害を指揮したのはやはり司令官だったルスラン・ゲレメエフという。

『ノーヴァヤ・ガゼータ』紙の報道を中心に事件を整理すると次のようになる。まず、逮捕された五人のうち二人はチェチェン治安機関の関係者だった。ザウール・ダダエフはセーヴェル幹部、タメルラン・エスケルハノフはチェチェンの元警察官である。二人に加えて、公職出身者ではないハムザット・バハエフ、アンゾールとシャディドのグバシェフ兄弟が逮捕された。他にセーヴェル隊員だったベスラン・シャヴァノフが捜査機関に拘束される直前に手榴弾で爆死している。

ネムツォフ暗殺の準備は一四年九月、犯行グループがモスクワ南西のヴェエルナヤ通りにマンション二室を借りるところから始まったという。ただ、ネムツォフは国外やロシアの地方への出張が多く、そうかと思えば自宅に数日間こもることもあり、暗殺の標的としては難易度の高い相手だった。それが準備開始から犯行までに日数を要した理由とみられる。

犯行当日の一五年二月二七日、ネムツォフは午後八時のラジオ出演後、ウクライナ人女性と赤の広場へ向かった。広場に面したグム百貨店内の「ボスコ・カフェ」で夕食をとった後、現場となる橋へと歩き出す。橋の上を歩いていた、そのときのことだ。潜んでいたダダエフが階段を駆け上がり、ネムツォフを背後から六回撃ち抜いた。そして、ダダエフは仲間のアンゾール・グバシェフが運転する車で現場を立ち去った。犯行グループの残るメンバーは殺害に直接は関与せず、ネムツォフの監視役などを務めていた。事件翌日から翌々日にかけてダダエフら一味は空路チェチェンへ逃走した。

連邦捜査機関は迅速に捜査網を狭め、犯行グループに迫った。その理由が興味深い。首都モスクワで好き放題に振る舞ってきたカディロフツィに対し、連邦中央の治安機関は長年手を出せない状態が続いていた。だが、ネムツォフ暗殺事件で「我慢の限界を迎えた」と記事は指摘する。モスクワ中心部の政府系高級ホテル「プレジデント・ホテル」には何年も前からチェチェンの内務省軍将校、すなわちカディロフツィが銃器を携えて常駐していた。カディロフとプーチンの特殊な関係を背景に、チェチェン共和国だけがロシアの連邦構成体の中で唯一そのような特権を有してきた。上京するチェチェン高官の警護が駐在の表向きの理由だが、その裏ではモスクワ郊外のアジトも使いながら誘拐、殺人、脅迫など裏の仕事も担っていたという。

ネムツォフ暗殺事件の発生を受けて、通常は緊張関係にある連邦中央の捜査機関の数々、内務省、FSB、連邦捜査委員会、検事総局などが反チェチェンで団結して動き、素早く容疑者一味を拘束した。プーチンが「様々な機関が同じ結果に到達した」と発言したのと符合する話だ。『ノーヴァヤ・ガゼータ』紙は、チェチェン人の犯行グループは「自分たちはアンタッチャブルだ」と考えて逮捕を予期していなかったとみる。そのため証拠隠滅は十分にされず、ダダエフは即座に自白へと追い込まれたとの筋読みだ。

ダダエフら五人が拘束された数日後、チェチェンではカディロフと側近たちの会議が厳重警戒の中で開かれたという。参加メンバーは連邦下院議員アダム・デリムハノフ、共和国副内相アプティー・アラウディノフ（警察長官を兼ねる彼である）、連邦上院議員スレイマン・ゲレメエフ、問題の将校ルスラン・ゲレメエフなどで、事後の対応を協議した模様だ。会議後、犯行の指揮役と目されるルスラン・ゲレメエフはアラブ首長国連邦（UAE）へ高飛びし、連邦捜査機関の追及を逃れた。続けて、お付きの運転手ルスラン・ムフディノフもUAEへ向かったという。

ここまで段取りが整った後に、連邦捜査委員会はムフディノフ主犯説を発表し、彼を起訴したのである。最終的に、プーチン側近で連邦捜査委員長のバストルキンの指示により、ルスラン・ゲレメエフの指名手配はされずに終わった。ネムツォフの遺族はカディロフに対する尋問も捜査当局に請願していたが、実現しなかった――。以上が、『ノーヴァヤ・ガゼータ』紙が報じた事件の「真相」だ。だが、それでも疑問は残る。記事の最後にいくつかの問いが記された。ネムツォフ暗殺を〝発注〟した大元は一体誰だったのか？　なぜ連邦警護庁は赤の広場やクレムリンの壁に設置された監視カメラの映像を開示しなかったのか？　なぜ連邦捜査委員会はゲレメエフの尋問を許可しなかったのか？

連邦捜査委員会は『ノーヴァヤ・ガゼータ』紙の報道から四カ月後の一六年六月、ダメ押しのような発表をした。逃亡中の〝主犯〟ムフディノフが一五〇〇万ルーブルの高額報酬を実行犯に提示していたという内容だ。セーヴェルの元隊員がどうやってそんな大金を持ちえたのか。彼本人に殺害を指令するどんな動機があったというのか。有能な猟犬のようにカディロフツィを追い詰めていた連邦捜査機関が途中で明らかに変節した。「撃ち方やめ」の指令を受けて、チェチェン上層部に累が及ばないよう方向転換したとしか思えない展開だった。

この年の一一月、カディロフは国営タス通信のインタビューで「正式な召喚があれば、いつでも尋問に応じる用意はある」と豪語したが、結局、召喚されることはなかった。カディロフは事件の解釈について次のように語っている。「ネムツォフは私の個人的な敵でも友人でもない。彼がもはや役に立たないと知る彼の〝友人たち〟が、一斉射撃で二人を殺そうと決めたのだ。ネムツォフを撃ち、同時にカディロフを排除する、と。だが、私の排除には失敗した」。ネムツォフの〝友人たち〟とは欧米特務機関を示唆しているのだろう。彼らによって自身を陥れる罠が仕掛けられていたと主張したのである。

さて、ネムツォフ暗殺事件の謎に一つの答えを示したノンフィクション作品がある。一五年秋に出版され、モスクワで山積みのベストセラーとなった『クレムリンの全軍勢――現代ロシア小史』（未邦訳）だ。誕生以来のプーチン政権を描いた内幕本である。著者のミハイル・ズィガリは、ロシアの有力紙『コメルサント』で政治記者や特派員を歴任し、その後は独立系テレビ局「ドーシチ（雨）」で編集長を務めたという経歴の持ち主だ。

この本ではカディロフについても一章が割かれ、ネムツォフ暗殺事件の裏側を彼の独自取材に基づいて描き出している。理解の前提として、プーチンが暗殺事件六日後の三月五日以降、公の場から姿を一時消していたという事実がある。イタリア首相との会談を最後に、三月一一日のカザフスタン訪問をキャンセル、一二日の治安機関との定例会合も欠席した。内外メディアが異変に気づき、様々な憶測が飛び交った。病気療養、愛人の出産への立ち会い、クーデター……。

大統領不在の中で、暗殺事件では連邦捜査機関がチェチェン人の容疑者たちを次々拘束していき、その中にセーヴェル幹部が含まれていることも明らかになった。ズィガリの筆によると、三月一一日に北コーカサス・スタヴロポリ地方を会議で訪れたプーチン最側近の安全保障会議書記ニコライ・パトルシェフがカディロフを呼び出し、「ネムツォフ殺害でチェチェン上層部メンバーの容疑に関する証拠がある」と告げたという。ズィガリは明記していないが、セーヴェル大隊司令官だったルスラン・ゲレメエフらのことであろう。

捜査が周辺に迫る危機を悟ったカディロフはプーチンに電話をかけるが、出てもらえない状態が続く。裏情報に通じたチェチェンのアングラ・サイトには「カディロフはプーチンの沈黙に絶望した」と書き込まれた。プーチンが当時、カディロフの政治亡命についてヨルダンやUAEの首脳たちと相談していた可能性があるとズィガリは指摘する。プーチンらモスクワの支配層にとって、元第一副首相でプーチンの同僚でもあったネムツォフの殺害はこれまでの暗殺事件とは訳が違ったというのだ。「プーチンは不在の間、様々なスポーツをしていただけでなく、カディロフをどうするか考えていた」とズィガリは記す。

姿を消して一〇日が過ぎた三月一六日、ようやくプーチンはキルギス大統領との会談でカメラの前に現れた。しかし、それでも彼はカディロフからの電話は受けなかったという。カディロフは同二六日、側近たちを引き連れてUAEへ飛んだ。表向きには彼の所有馬が参加する競馬のレース観戦が目的とされたが、一行はすぐにはチェチェンへ戻らなかった。不安で戻れなかった、と筆者のズィガリは見る。UAE滞在中、カディロフはSNSにプーチンへの忠誠の言葉を書き連ねた。「私は常々、ロシア大統領かつ連邦軍最高司令官であるウラジーミル・プーチン氏の一兵卒であると述べています!」といった内容だ。UAEで一〇日間ほど過ごしてようやくカディロフはチェチェンへ戻った。同じ四月六日、プーチンはグロズヌイに「軍事栄光都市」の称号を与える命令を発した。カディロフを切り捨てないと判断した証という。

ネムツォフ暗殺事件はカディロフにとって過去最大の危機だった、というのがズィガリの説だ。仮に暗殺がカディロフの指示だとすれば、その目的はプーチンへの〝奉仕〟であったに違いない。記述の全てが真実か判断は難しいが、この本がロシアでベストセラーになったという事実は興味深い。クレムリン近くの書店でも目立つ場所で売られていた。暗殺事件から二年半後の一七年七月、モスクワ地方軍事裁判所は陪審員の有罪判決に基づいてダダエフに二〇年の禁錮刑、残るメンバーに一一年から一九年の刑を言い渡した。ガンヌシキナの予想通り、事件の真相はうやむやのまま終わった。

## ヤマダエフ、リトヴィネンコ、ポリトコフスカヤ

ロシアではネムツォフ暗殺事件の以前から、チェチェンがらみでプーチン政権やカディロフ体制を批判する政治家やジャーナリスト、活動家らが暗殺されてきた。そして今も、こうした事件が絶える兆しは見えない。

例えば、カディロフと敵対していたチェチェンの有力者ヤマダエフ兄弟が〇八、〇九年に相次いで暗殺された事件がある。元連邦下院議員でロシア連邦英雄の称号も持つ兄のルスラン・

ヤマダエフ（死亡時・四六歳）は〇八年九月、モスクワ中心部の路上で射殺された。弟で元特殊部隊司令官のスリム・ヤマダエフ（同・三五歳）も〇九年三月、UAE・ドバイの自宅近くで銃撃され、後に死亡した。スリムはカディロフと対立した結果、〇八年五月に司令官の職を解任され、国外へ逃れていた。

ドバイ警察はスリム殺害の実行犯とみられる二人を逮捕した。タジキスタン国籍の実業家のマフスードジャン・イスマトフと、イラン国籍でカディロフの厩《うまや》番だったマフディー・ロルニヤである。さらに事件に関与した疑いで複数のロシア国民が国際指名手配されるが、うち一人はカディロフのいとこで連邦下院議員のアダム・デリムハノフだった。事件から一年後、実行犯の二人は現地で無期懲役判決を受けたが、減刑されて翌年に釈放される。UAEの法律では遺族が希望すれば減刑が可能で、ヤマダエフ家とカディロフの間で手打ちがあったと報じられた。

ヤマダエフ兄弟の殺害に先立つリトヴィネンコ暗殺事件は、英露間の国際問題に発展した。英国に亡命していた元FSB中佐アレクサンドル・リトヴィネンコ（同・四三歳）が〇六年一一月にロンドンで猛毒の放射性物質ポロニウムが入ったお茶を飲まされ、毒殺されたのである。英当局は殺人の容疑者として元KGB職員ら二人を特定し、FSBやプーチン政権が関与した可能性を指摘した。

リトヴィネンコは九八年にFSBの腐敗について記者会見で内部告発し、〇〇年に英国へ政治亡命していた。亡命後の告発で最もインパクトが大きかったのは、九九年にモスクワなどで起きた連続アパート爆破事件に関するものだ。この事件は首相就任間もないプーチンが「チェチェンの強硬派武装勢力によるテロ」と断定し、第二次チェチェン紛争に踏み切る口実にもなった。だが、リトヴィネンコの証言によると「連続爆破はＦＳＢが仕組んだ自作自演の事件」だったという。彼はロンドンではチェチェン独立穏健派の指導者アフメド・ザカエフと親交を結ぶなどチェチェンと深い関わりを持っていた。

そして、『ノーヴァヤ・ガゼータ』紙の女性記者アンナ・ポリトコフスカヤ（同・四八歳）である。彼女は〇六年一〇月七日、モスクワ中心部レスナヤ通りの自宅マンションのエレベーター内で射殺された。この日はプーチンの五四回目の誕生日だった。彼女はチェチェン紛争の現場ルポを通じてプーチン政権の強権体制を批判し、国際的な賞を複数受賞するなど特に国外で高く評価されていた。この事件では一四年までに実行犯とされるチェチェン人や共謀を認めた元警察幹部など計六人が有罪となり、二人が終身刑、残る四人に一一～二〇年の有期自由刑が言い渡された。だが、殺害を依頼した黒幕もその動機も不明なままだ。

ポリトコフスカヤは一九五八年、米国ニューヨークでウクライナ系のソ連外交官の家庭に生まれた。八〇年にモスクワ大学ジャーナリズム学科を卒業後、大手『イズヴェスチヤ』紙、出版社などを経て、九九年から『ノーヴァヤ・ガゼータ』紙で働いていた。入社とほぼ同時にチェチェン紛争の現地取材を始め、プーチンの政策によってチェチェン人、ロシア人を問わず現地に暮らす市民の人権が踏みにじられている実態を伝え続けた。

著作『チェチェン　やめられない戦争』には、こんな一文がある。

〈戦争は人びとに生きていく上での新しい掟を受け入れさせた。収容所の掟を。見かけは団結しているようだが、残酷な分断があり、いたるところに密告がある。その唯一の目的は、ほかの誰がどうなろうと自分が生き延びることだ。これが顕著になる時、その民族は自らを葬ることになる〉

カディロフ体制が強固となった紛争後のチェチェンでも、この「新しい掟《おきて》」は消えていないのではないか。それどころか、空気のように当たり前のものになってしまったのかもしれない。

ポリトコフスカヤが生前書いた最後の記事は人々がカディロフツィを恐れていることを指摘するものだった。カディロフが殺害に関与したことを疑う声も上がったが、当の本人は事件直後、「私は女性を殺さないし、殺したこともない」との言い回しで否定した。

「新しい新聞」という意味の社名を持つ『ノーヴァヤ・ガゼータ』紙は、ソ連崩壊後の九三年に創刊した。ソ連最後の指導者ミハイル・ゴルバチョフも主要株主に名を連ねる、ロシアで稀有な独立系リベラル紙だ。影響力の大きいテレビを中心にメディア掌握を進めてきたプーチン政権にとっては目障りな存在といえるだろう。ポリトコフスカヤを含め、これまでに五人の記者が殺害されたという。

暗殺事件から丸一〇年となった一六年一〇月七日、私はクレムリンの北東一・五キロにあるポタポフ横町を訪ねた。そこに『ノーヴァヤ・ガゼータ』紙の小ぶりな本社ビルが建つ。どんよりとした曇り空の下、社屋外壁にはポリトコフスカヤの大判肖像写真十数枚が掲げられ、集まった読者や支援者は彼女の記念碑に花を捧げていた。交流があったという年金生活者の女性エミリヤは「優しく勇気ある女性だった」と目を赤くして私に語った。当日、『ノーヴァヤ・ガゼータ』の紙面では事件の真相解明に消極的な政府を批判する特集記事が掲載され、同僚の死を看過しない社の姿勢が示された。

私は本社前で人の輪の中にいた副編集長セルゲイ・ソコロフに声をかけ、話を聞かせてもら

チェチェン報道を続けて暗殺された記者、アンナ・ポリトコフスカヤの十周忌に彼女を悼む男性（モスクワ、『ノーヴァヤ・ガゼータ』本社前／2016年10月7日／毎日新聞社）

った。革のジャケットを着て、白髪頭、口ひげを生やした穏やかな男性だ。

――ポリトコフスカヤ記者が殺害されてから一〇年が経ち、ロシアの当局は何か変わったでしょうか？

ソコロフは硬い表情を崩さず口を開いた。「状況は悪化しました。以前であれば暴力は密かに行われました。こっそりと攻撃し、殴打し、殺される可能性があったのです。しかし、今では公然と暴力にさらされる。ジャーナリストだけでなく、社会活動家やブロガーも路上で襲われています。人が大勢いても平気で殴打したり、塗料を浴びせたり、脅迫したりするのです。そして誰も罰せられることがない。路上での暴力が当たり前になってしまい、それが国家によって支援されているのです。私は記者たちを出張に派遣する際に以前なら犯罪組織や腐敗役人を恐れていましたが、現在は自らを〝愛国者〟と思っている路上のフーリガンを恐れています」

何という状況だろうか。確かに一四年三月のクリミア編入宣言以来、ロシアでは愛国心の高揚と同時に「我々か奴らか」と敵味方で区分したがる殺伐とした空気が強まっている。

――なぜ、そうなったのでしょう。プーチン政権の目的は何だと思いますか？

「第一に、社会のある層を別の層に対してけしかけるのが目的だと思います。そうして、物を考え、声に出して言う人々にそれをやめさせるのです。国が経済危機にある現状において、不満が表に出ないよう公共の言論空間を封じ込めることが目標です。狙いは私たちを威嚇することなのです」

――ソ連時代、特にスターリン時代に似ているでしょうか？

「いいえ、似ていません。現政権はスターリン時代の政権より脆弱《ぜいじゃく》です。それに当時は国家が暴力を独占していましたが、現在では国家が暴力の一部を民間人に委ねたのです。紅衛兵が国家の機能を遂行した中国の文化大革命の時代のようなものです」

いずれにしても寒々とする実態だ。ソコロフは淡々とした口調を崩さずに話を続ける。

――これを止めるにはどうすればよいと思いますか？

「私たちにはどうにもできないと思う。ただ、遅かれ早かれ経済危機の圧力を受けて状況は改善されるでしょう。今は我慢が必要です。ある有名なフレーズがあります。『ロシアにおいては長く生きねばならない』」

楽観を捨てない彼の姿勢はある種の強さだ。この国でまともなジャーナリストであり続けるには勇気と強さが人一倍必要に違いない。

――ロシアのジャーナリストたちは今後どのように仕事をしていきますか？

「私たちは働き続けます。どれだけの間、それが可能かは分かりませんが、今のところ許されています。私たちが破滅させられ、新聞社を閉鎖され、『外国のエージェント』と宣告されて投獄されるまで、私たちは働き続けます」

ロシアの良心を体現する小さな新聞の副編集長は静かに闘志を示した。ポリトコフスカヤの思いは受け継がれている。厳しさを増すロシアのメディア環境の中、『ノーヴァヤ・ガゼータ』紙の記者たちは腹をくくって仕事に取り組んでいる。彼らと比べれば〝安全地帯〟にいる外国人記者の一人として、私などは頭が下がるばかりだ。

ロシアでは二〇二〇年に入っても、フリージャーナリストが「ラジオでテロを正当化する発言をした」として罰金刑を受けたり、有力紙『コメルサント』の元記者が国家反逆容疑で逮捕されたりするなどメディア抑圧の動きが続く。そんな中、『ノーヴァヤ・ガゼータ』紙は新型コロナウイルス禍におけるチェチェン政府の対策の不備などを批判的に報じ続けた。カディロフがたびたび脅し文句を発してもなお屈しない報道姿勢を保っている。

## 連鎖する暴力

ここまで紹介した暗殺事件を通して、カディロフ体制が自らに都合の悪い存在を容赦なく排除している疑いが濃厚と理解してもらえただろう。そのカディロフ体制下でチェチェンの治安は著しく向上した、とプーチン政権は喧伝してきた。だが、恐怖政治は治安対策として万能ではない。むしろ先鋭的な反体制派の敵意を一層高めてしまう側面が否めないのではないか。そう考えさせられる一連の事件が一四年、チェチェンで発生した。

発端は首都で起きたテロ事件だ。一二月四日午前一時ごろのことである。警察官を装って首都グロズヌイ中心部へ侵入した武装集団が、交通警察の詰め所で警官三人を銃殺したのが始まりだった。銃撃戦となり、武装集団はメディア関連の一〇階建てビル「出版センター」に立てこもる。市内には対テロ作戦が発動され、カディロフが指揮をとった。治安部隊は榴弾発射器や重機関銃を用い、午前九時にはビル内部はほぼ全焼した。武装集団は一キロ離れた学校へ移動して再び立てこもり、激しい銃撃戦が展開された。午後二時前に戦闘は終結し、対テロ作戦は終了した。武装集団の一一人が死亡、治安当局側は一四人が死亡、民間人も一人死亡という流血の惨事となった。

北コーカサスを拠点とするイスラム過激派武装勢力「コーカサス首長国」がインターネット上に犯行声明を出した。この組織は、チェチェン独立派武装勢力から過激派に転じたドク・ウマロフを指導者として「北コーカサスにイスラム教国を建設する」として〇七年に設立された。一〇年のモスクワ地下鉄爆破事件や一一年のモスクワ・ドモジェドヴォ国際空港爆破事件などロシアで数々の大規模テロ事件を起こしている。ソチ五輪開催直前の一三年末にもコーカサス首長国の傘下とされる武装組織がロシア南西部ヴォルゴグラードで連続爆破テロを起こし、市民ら三四人を殺害した。コーカサス首長国は弱体化も指摘されるが、カディロフ体制にとって目障りな敵には違いない（指導者のウマロフについては一四年四月にＦＳＢが「当局の掃討作戦で死亡」と発表。実際の殺害は一三年九月といい、半年遅れの公表だった）。国際テロ組織「アルカイダ」との関係も指摘されている。

さて、問題はその後の展開である。カディロフのお膝元グロズヌイで起きたこのテロ事件後の出来事は、現代チェチェンの有り様を象徴している。首都での事件発生で顔に泥を塗られたカディロフは事件翌日、こう宣言した。「世の親たちが自分の息子や娘の行動に責任を負わなくてもよいという時代に終わりが来たことを公式に宣告する。チェチェンでは責任を取らせる！」どういうことか。襲撃犯の親族はチェチェンから追放され、自宅も破壊されるというのだ。

ロシアの人権団体「反拷問委員会」はカディロフの発言を受けて直ちに動いた。親族だからというだけで刑事責任を負わせるのはロシア法に反し、また居住地からの追放は憲法違反と訴え、連邦捜査委員会と検察庁に対応を求める要請書を提出した。だが、チェチェンでの動きを阻止することはできなかった。事件三日後、グロズヌイの南西約三五キロにあるヤンディィ村に覆面の男たちが乗った一四台の車が現れる。死亡した襲撃犯の近親者が暮らす複数の住宅に次々と放火し、立ち去った。チェチェンではカディロフの指令は絶対なのだ。

この顛末《てんまつ》について、チェチェンではどう受け止められているのか。事件発生から約半年後、私は現地で何人かに話を聞いた。

共和国人権問題全権と首長補佐を務めるティムール・アリエフは、どこかつまらなそうな顔をして質問に答えた。

——武装集団メンバーの親族の家が焼かれた件について、どう思いますか？

「チェチェンには公開追放というメカニズムがあり、この伝統が現れたということです。もちろん反人権的だが、説明は可能だ」

——家を焼かれた人々はどこへ行ったのでしょう？

「どこかの親族を頼って去ったのでしょう。彼らも血を分けた犯人たちに罪があることは理解している。幸い武装集団の人数はそう多くはない。今回の事件はチェチェン市民に対し、自分の親族にも目を配るよう警告を与えるだろう」。淡々とした調子でアリエフはこの話を終えた。

国立チェチェン大学副学長で民族文化学を専攻するタマラ・マザエワには、伝統という観点から事件について尋ねた。彼女の口は重かった。

——グロズヌイを襲った戦闘員の親族の家が焼かれました。これはチェチェンの伝統からはどう見るべきでしょうか？

「私は政治の話はしたくありません。一般論で言うと、チェチェン文化には『血の復讐』の伝統があります。殺人を犯した者が生きている間は、その親族にまで復讐は及びません。犯人が死んだときに初めて親族も復讐の対象になるのです。被害者側が報復を要求すると、まず犯人の兄弟が対象となります。親族でも女性は対象になりません。チェチェンでは女性一人の殺害に対して、男性二人が報復として殺されます。現在でもこの伝統は生きています。こんな例もありました。ある立派な人が精神障害者に殺されたのです。被害者家族は犯人を殺さず、犯人を止められなかった相手側一族のうちで最も優秀な男性を殺しました。伝統の許容範囲内だと思います。私はこの分野の専門家ではありませんが、これはチェチェンの慣習法だと思います」

――では今回、家を焼かれた件を慣習法の観点から見ると……。

「この件の評価は難しいです。私たちは異なる現実を生きています。すみません、この話はしたくありません」

「異なる現実」という言葉は象徴的だ。広大なロシア連邦の中で、チェチェン共和国には他の地域とは異質な次元が存在する。カディロフの命令に基づいた出来事を詳しく論評するのは危険と考えたのだろう。彼女は断ち切るように口を閉ざした。

ロシアの憲法や法律とは全く異なる慣習法の世界がチェチェンでは生きている。その伝統をカディロフは利用している。長年チェチェンの人権問題に取り組んできたスヴェトラーナ・ガンヌシキナは、私の前で憤りを隠さなかった。

「グロズヌイでの襲撃事件は、第一次チェチェン紛争が始まった九四年一二月から二〇年の節目に合わせて実行されました。警官一四人が亡くなり、遺族には同情します。戦闘員の行為は当然支持しませんが、国家は法的手段をもってテロと戦うことができる。

しかし、カディロフは事件のあと最初に『犯人たちの親族をチェチェンから追放しろ』と主張したのです。彼らをどこに送ろうというのでしょう。これはまるで粛清対象者が追放されたスターリン時代と同じです。罪のない人々を罰してはなりません。これは迫害行為です」

テロ対策は何が正解なのか難しい。失業などで社会から疎外される人を生まないこと。過激思想に接する機会をなくすこと。経済格差をなくすこと――。だが、豊かな家庭に育った後に別の世界を求めてテロリストになる人もいる。カディロフ体制は親族の連帯責任も含む厳罰で対処しようとしているが、それが最適解かは疑問だ。さらに、イスラム過激派によるテロへの対策に取り組む裏で、自らは別種のテロである暗殺に手を染めている疑いが濃厚なのである。

私の目からは、暴力を統治の手段として当たり前に用いるカディロフ体制こそが、過激派のテロという新たな暴力を生んでいるようにも見える。なぜなら、暴政に抑えつけられた若者の一部が対抗手段として過激派を志向する傾向が指摘されているからだ。こうしたカディロフ体制の暴政を野放しにしているプーチン政権に連帯責任があることは論をまたない。次章では、さらなる暴力の世界、すなわち新たな紛争に巻き込まれるチェチェンについて、その構造を考察する。そこには苛烈なチェチェン内政やプーチンとカディロフの関係が色濃く反映されている。

# 第五章　チェチェンの新たな紛争

## 「イスラム国」から帰ってきた男

ソ連崩壊後、二度の紛争に見舞われたチェチェンでは、ラムザン・カディロフの強権支配の下で〝安定〟が訪れた。だが、チェチェン人はその後も戦火と無縁ではいられなかった。二〇一〇年代に入って彼らの一部は国外での紛争へ積極的に参加するようになる。その一つがシリア内戦であり、またウクライナ紛争である。時にだまされ、時に自ら望んで、時に指示されての参戦だ。チェチェン紛争と同様にチェチェン人同士が敵味方に分かれて戦う場面も現れた。そして、どちらの紛争においてもプーチン政権のロシアが主要アクターである。

本章では、過激派組織「イスラム国（ＩＳ）」の戦闘員を経験した若者と、チェチェン共和国の警察トップへのインタビューなどを通じて、シリア内戦においてチェチェン人のＩＳ参加者が続出した背景を探る。チェチェン人のウクライナ紛争への関与にも触れ、彼らが戦場の硝煙の中に引き込まれてしまう構造的要因と今後の展望を考えたい。

「全てはワッツアップで送られてきた一本の動画から始まりました。シリアのアサド政権による住民への暴力が撮影され、聖なる義務としてイスラム教徒に救援を呼びかけていた。私の過ちは片方からの情報にだけ耳を傾けてしまったこと。そして、直接知りもしない人々の話を真に受けてしまったこと。市民を一人でも助けたいという思いで私はシリアに向かった。けれど、誰一人助けることはできなかった……」

深夜一一時を過ぎたグロズヌイ、人通りの少ない街区のカフェでやせぎすな若い男性が独白を続ける。乾いた声で体験を語るのはサイード・マジャエフ（二二）。巻き毛の黒髪を短く刈り上げ、面長の顔には豊かな頬ひげと口ひげを整えている。ジーンズ姿は平凡な若者にしか見えない。だが、彼は「イスラム国」から帰ってきた男だ。一三年七月にトルコ経由でシリア入りし、ＩＳ戦闘員として

シリアで過激派組織「イスラム国」に加わっていた元戦闘員、サイード・マジャエフ（グロズヌイ／2015年6月24日／毎日新聞社）

半年間を現地で過ごした。何が彼を駆り立て、現地では何を体験し、なぜ脱出を決めたのか。彼へのインタビューを基にその経緯を再現する。

プログラマーを目指す専門学校生だったサイードがＩＳ関係者とやりとりを始めたのは一三年四月頃だった。連絡ツールは通信アプリ「ワッツアップ」やロシアのＳＮＳ「オドノクラスニキ（同級生たち）」だ。「私はＳＮＳのグループを通じて彼らと知り合った。そこではジハード（聖戦）に関して様々なテーマが論じられていた」。サイードはこう振り返る。グループ内では、アサド政権が反体制派支配地域の子供たちを殺害している様子を伝え、支援を呼びかける動画がいくつも投稿されていた。数カ月間、シリアにいるというチェチェン人やダゲスタン人の同世代とＳＮＳで交流を続け、次々送られてくる悲惨な動画や説得に正義感をあおられた。サイードは敬虔なイスラム教徒と自認していたが、宗教知識が豊富というわけではなかった。ＳＮＳではＩＳ関係者とみられる若者たちが自らに都合の良いコーランの解釈を展開し、サイードを圧倒した。周囲の友人からは「動画は全て嘘だ。深入りするな」と説得されたが、「見たこともないのになぜ分かる」と反発した。あそこへ行くのは俺の義務だ。サイードは心を決めた――。

ここでＩＳの来歴をまとめておきたい。〇三年のイラク戦争で米軍などがサダム・フセイン独裁体制を打ち倒したのがことの始まりだった。独裁者の消えたイラクでは多数派シーア派と少数派スンニ派というイスラム教の宗派対立が激化していく。また、旧政権与党「バース党」の党員は米占領当局の方針で公職追放となった。治安の空白地帯が広がり、米国への不満も高まっていく。不安定な新生イラクでは国際テロ組織「アルカイダ」に連なるイスラム過激派組織が伸長した。ヨルダン出身のアブムサブ・ザルカウィ率いるISの前身組織「タウヒードとジハード団」もその一つである。タウヒードとはアラビア語で「神の唯一性」を意味する。彼らは〇二年にアフガニスタンからイラクへ拠点を移していた。イラクで国連や駐留米軍の関係者を狙ったテロ攻撃を繰り返し、人質にした米国人らの殺害にも手を染めた。

ザルカウィは〇六年六月に米軍が殺害したが、同一〇月にはその流れを汲む「イラクのイスラム国（ISI）」が誕生する。一〇年五月、イラク出身でイスラム説教師だったアブバクル・アル・バグダディが指導者に就任した。ISIはイラク軍の元将校を取り込み、軍事力を強化していく。さらに追い風となったのが一一年に起きた中東諸国での民主化要求運動「アラブの春」だ。隣国シリアで反アサド政権のデモが内戦に発展した。イラク同様、過激派組織にとって格好の舞台ができあがった。

バグダディは戦闘員をシリアへ送って勢力を広げ、一三年四月に組織名を「イラクとシャームのイスラム国（ISIS）」と改称する。「シャーム」とはシリアやレバノンを含む地域の古い呼び名だ。サイードがＳＮＳを通じてＩＳ関係者と接触し始めたのはこの頃である。ＩＳＩＳは翌一四年六月にイラク第二の都市・北部モスルを陥落させ、「イスラム国（ＩＳ）」へとさらに改称する。地域名を外し、歴史上絶えて久しいカリフ制によるイスラム国家の樹立を勝手に宣言したのだ。カリフ制とは預言者ムハンマドの後継者として選出された指導者によるイスラムの教えに則った統治を意味する。バグダディがカリフを僭称《せんしょう》し、イラクとシリアの一部地域に過激主義の疑似国家を形成したことで国際社会は大きな衝撃を受ける。ＩＳはシリア北部ラッカを「首都」と定めた。

「ＩＳによる市場での無差別銃撃で多くの人が死傷し、病院は負傷者で一杯になりました」。ラッカ近郊アルタブカ出身のシリア難民、アフメド・アルシェイブリー（四〇）は一四年一月に故郷の町を襲ったＩＳの侵攻を克明に記憶している。彼は二〇年一二月に避難先のトルコ南部で私に体験を語った。「（反アサド政権派の）自由シリア軍メンバーの家族が住む住宅三軒が中の住民ごと爆破された惨事は忘れられない」と声に怒りを込める。ガラス店経営者から民主派活動家に転じていたアフメドに対し、ＩＳは組織加入を迫ったという。断ると拘束され、地下室で拷問を受けた。運良く隙を突いて脱走できたが、残忍さを誇ったＩＳに処刑された人々は数知れない。

同様にトルコで取材に応じたシリア北部アレッポ県出身のハッサン・マルヤミーニー（三八）は親族七人を殺されている。「ISは彼らを拘束した後に身代金と捕虜交換を要求してきた。だが、実際にはすぐに殺害していた」と憤る。ISが町から掃討された後に親族の遺体を見つけたのだという。ISはイスラム原理主義的な思想を掲げる一方、暴力による恐怖支配を敷き、拉致や略奪、人身売買が横行した。アフメドは「ISはシリアでの民主化革命の息の根を止めるためにやって来た。最良の人々を殺害した」とつぶやいた。これがISの生の姿だ。

一三年夏のチェチェンに戻ろう。実態を何も知らないサイードはSNSでのやりとりを経て、IS（当時はISIS）入りを決めた。アルバイトで得たカネをかき集めて旅費に充て、その年の七月九日に出発する。周囲には「トルコの大学に留学する」と話し、妊娠中の妻にも両親にも真実は告げなかった。グロズヌイからダゲスタン共和国のハサヴユルトへ移動し、長距離バスでカスピ海沿いを南下してアゼルバイジャンの首都バクーへ向かう。このルートが「一番安全」と指示されていたからだ。バクーから空路イスタンブールへ飛び、そこからは陸路十数時間かけてトルコ南部へ向かった。指定されたバス停留所に到着して数時間後、やって来た男が「俺についてこい」とあごをしゃくる。小型バスで連れて行かれた住宅には若者ばかり数十人がたむろしていた。出身国はまちまちなようだ。二時間後、「国境を徒歩で越える必要がある」

と告げられ、乗用車に分乗して国境地帯へ向かった。黄昏《たそがれ》時、トウモロコシ畑の平原に国境警備隊の監視塔がぽつんぽつんと建っている。待機するサイードたちは国境を全力で走り抜けるよう指示され、そのときが来た。死に物狂いで走る若者の一群に狙撃兵が銃撃を始める。走りながらサイードは興奮していた。「俺はシリアへ行く！　人々を助けるんだ！」

サッカーが得意なサイードは一番に国境を越え、オリーブの木立へ倒れ込んだ。息を切らせて座っていると、土煙をあげて数台の車が近づいてくる。車から降りたのは武装した男たちで、北コーカサス地方の出身者や地元のシリア人だ。迎えの車でキャンプに着くと仲間に加えるにあたっての取り調べが始まり、パスポートを預けるよう言い渡された。サイードは早くも違和感を覚える。「なぜ渡さないといけないのか？」と尋ねても、答えはにべもない。「お前は信仰のため命を捧げるつもりで来たのではないのか」。何を聞いても無駄だと理解した。指示に従って顔も知らない指導者への忠誠を誓ってみせたが、心の中は冷えていた。ＳＮＳでは明かされていなかった現実に否応なく呑み込まれていく。

キャンプ到着から六日後、基地へと移された。ＩＳが占拠するシリア北西部アレッポ近郊のハリタンという町だ。所属先はチェチェン人が集まるグループで、総司令官はジョージア（グルジア）国内でチェチェン系民族が暮らすパンキシ渓谷の出身者だった。高級住宅地のプール付きの豪邸が集団生活の場としてあてがわれた。給料は無いが衣食住は全て与えられる。もとよりサイードはカネ目当てで来たわけではない。信仰の実践として人々を救うためだ。自動小銃を渡され、使い方を指導される。紛争が続いたチェチェンで生まれ育ったものの若いサイードは戦闘経験が皆無の世代で、初めての軍事訓練だった。倉庫の警備役を命じられ、以後これがＩＳでの役割となる。サイードは密かに自らに誓った。「道は一つしかない。苦しむシリア市民を一人でもいいから助けるんだ」

周囲の戦闘員には現地で妻子を持つ者もおり、ＩＳが〝解放地域〟と称した町の中では空爆さえ無ければ平穏な日々が続いていた。だが、サイードが命じられた倉庫警備の仕事は危険と隣り合わせだった。隣に座って談笑していた仲間が一時間後にはこの世に存在しない。前線近くの倉庫では砲火が絶えず、頭を吹き飛ばされて死ぬ仲間の姿も目の当たりにした。

斬首などＩＳの残忍な処刑について、サイードは「直接見たことはない」という。「ただ……」と話を続けた。彼らのグループの近くにはダゲスタン人が率いる処刑集団もおり、チェチェン人らが所属していた。「彼らはイスラム不信仰の罪を犯したとされる人々を公開処刑し、その様子を撮影してYouTubeで公開していた」。サイードの話は具体的になっていく。「ある時には十代前半の子供や老人をひざまずかせて銃殺した。スパイ罪か何かだ」。彼は実際には処刑を見ていたのかもしれない。「市民は無防備だった。政府軍からも戦闘員からも守られていなかった」とつぶやくように言う。こうして幻滅は決定的になった。

ＩＳ幹部への不信感も生まれていく。サイードが見張り番をしていたある日、やって来た仲間たちにアミール（司令官）が銃を連射するよう指示し、その様子はビデオカメラで撮影された。じっと見ていたサイードは何をやっているのかに気づく。戦闘場面を装った偽の動画を作成していたのだ。動画は編集されて聖典コーランから引用したテロップが加えられ、勧誘のためネット上にアップされる。さらにＩＳのスポンサーへ報告として送られ、見返りに大金が送られていたようだ。「アミールたちがカネを受け取っていたのは知っている。高級車も乗り回していた」。サイードは吐き捨てるように言う。

仲間の戦闘員にはロシア出身者以外に、ウクライナのイスラム系少数民族クリミア・タタール人の姿もあったという。アフリカや旧ユーゴスラヴィアから来た男もいた。互いに身元を明かすのは禁じられ、本名を名乗ってもいけなかった。サイード自身はアブヤシルと名乗っていた。だが、サイードは仲間との交流には興味を失っていく。「ここから脱走しなければ」。その思いが頭の中で膨らんでいった。

サイードが妻にＩＳ参加の事実を初めて明かしたのは、シリア到着から半月後のことだった。電話で伝えると妻は嗚咽《おえつ》を漏らしたが、自らの過ちや後悔を話すと理解し支えてくれるようになった。脱出の実行は容易ではないものの、サイードはある計画を立て始める。一カ月に四、五回だけインターネット・カフェを訪れる機会が得られ、短時間の電話以外でも妻と連絡を取れるようになった。彼女にトルコへ来るよう伝え、直属の司令官に「家族に会いたい」と話してみた。家族との面会目的で仲間がトルコに行った例があったからだ。だが、答えはノーだった。サイードは自由に遠出できるほどの信頼は得ていなかった。

だが、期せずして倉庫警備中に負った重傷がチャンスにつながる。左太ももを弾が貫通し、一カ月経っても松葉杖なしでは歩けなかった。サイードは司令官に「トルコでの治療が必要です」と訴えた。越境許可を得るには上層部の判断を仰ぐ必要があったが、グループの司令官は「自分が後で上官に言っておく」と許可を出してくれた。実際、傷はひどかったからだ。サイードは自分より信用されている仲間たちと同行することを条件に国境へ向かった。シリア入りから半年が過ぎた一四年一月のことだ。トルコとの国境に着いてパスポートを取り戻した後、現場責任者のシリア人戦闘員に警告された。「イスタンブールに行ったところで逃げられたと思うなよ。向こうにも我々の仲間がいる」

警告は単なる脅しではなかった。イスタンブールで治療を始めてからもＩＳ関係者が週一度は訪ねてくる。サイードは悟った。〈私が故郷へ帰りたがっていると誰かが気づき、密告したようだ。ＩＳは実家の住所など個人情報を全て握っている。彼らはチェチェンにもつながりを持っている……〉。「家族と会ったらシリアに戻る」と繰り返すほか無かった。トルコに駆けつけた身重の妻はイスタンブールで出産した。ロシア総領事館で出生手続きをしたが、領事に相談しようとは思えなかった。ＳＮＳを通じて「逃げたら妻子を殺す」と脅迫のメッセージも届いていた。

最後の頼りは親だった。サイードは母親に電話して「帰りたい。ＩＳは期待外れだった」と訴え、経緯を打ち明けた。両親にとっては青天の霹靂《へきれき》だったが、母親は行動を開始する。地元の人権活動家に相談し、弁護士の支援を受けることになった。サイードのトルコ入りから三カ月が経った一四年四月、帰国に必要な書類と航空券を持って母親が飛行機でやってきた。ＩＳの監視下にあるサイードは自分で航空券を買うのも難しかったのだ。帰還が目前に迫ったころ、携帯電話を取り上げられた。「もしお前がロシア連邦保安庁のスパイでないなら携帯電話を渡せ。調べたら返す」。それが彼らと会った最後になった。二日後、サイードは空路チェチェンに帰り着いた。

警察署へ出頭し、「シリアで違法な武装組織に参加した」と罪を認める上申書を提出した。身柄を拘束され、拘置所での日々は約八カ月続く。サイードは現地で誰一人殺してはいないという。だが、倉庫警備だけでも「ロシアの利益を害する違法組織への参加」として罪になるのだ。地区裁判所では禁錮二年の判決が下る。サイードは控訴し、共和国最高裁で禁錮八カ月に減軽されて確定した。拘置期間が相殺され、一〇日後には再び自由の身となった。一年間はグロズヌイ市内を出てはならず、監視用の電子装置がついた足輪をはめるという条件付きだ。シリア脱出からは一年以上が経っていた。

「自分がしたことの責任は取らなきゃならない。だから、判決に異議はありません。私にとっては全てがうまく収まったのです」。頬がこけたサイードは表情を変えずに言う。釈放後の人生は元通りにはならなかった。妻はトルコで長男を産み、サイードの拘置中に次男を産んだが、二人の関係は修復できなかった。話し合いの末に離婚が決まった。

ラマダンの深夜、カフェのテラス席でサイードが独白を続ける。コーヒーはすっかり冷めていた。

「もちろんＩＳに参加したことは後悔しています。今でも夜中に悪夢を見る。シリアには私より後にチェチェンからやって来た人々もいました。彼らの親族もそのことを知っているが、何もできない。私はみんなに経験を伝えることが自分の義務だと思っています。だから体力のある限り、全てのインタビューに応じるようにしている。チェチェンのムフティーとも交流し、一緒に若者との対話集会をモスクで開いている。他の人たちが真実を知る助けにはなっていると思います」

「出発前にどうすれば踏みとどまれたと思う？」と私は尋ねた。

サイードは「分からない」と虚ろな目で答える。街灯に照らされた横顔は青白く、生気を失って見える。「あの頃の私はゾンビのようになっていた。他のことには何一つ興味を感じなかった。たった一つの目標しかなかった。彼らとＳＮＳで交流を始めてからそうなってしまったのです。自分自身をだますことになってしまい、とても残念です……」。しばらく沈黙した後、サイードはうつむいた顔をゆっくりと上げる。「来月、再婚します。今は両親の支援を受けていますが、あと一年で学校を卒業したら働くつもりです。グロズヌイで仕事を探すのは難しいけれど、前妻と暮らす子供二人のためにも稼がなければ」

## 警察長官は語る

チェチェンにとって若者のＩＳ参加と現地からの帰還は社会問題となっていた。帰還者の大多数はサイードのようにＩＳに幻滅して脱出したとみられるが、勧誘目的で戻った者が紛れている可能性も否定できないためだ。一五年六月時点のチェチェン内務省の集計によると、地元からＩＳ入りした計四〇五人のうち、死亡一〇四人、消息不明二五七人、帰還者四四人となっている。ロシアではイスラム信仰が盛んな北コーカサスといった地域以外からもシリアへ向かう若者が相次いだ。また、チェチェン紛争当時にドイツなど欧州各国へ逃れて定住した数十万人のチェチェン人家族からもＩＳ参加者が続出していた。

サイードを取材した翌日、私たちはこの問題について、チェチェン共和国の副内務相と警察長官を兼ねるアプティー・アラウディノフに話を聞いた（このインタビューの内容は他の章でも適宜引用した）。約束したカフェに現れた警察長官は髪もひげも短く整え、ぎょろっとした目つきは鋭い。がっちりとした体には青系迷彩柄の半袖制服をまとう。機先を制するように「基本的にメディアの取材には応じたくないんだ」と言ったが、質問をぶつけると口調はよどみなかった。

――現在（一五年六月）、ＩＳからチェチェンに帰還した人はどれくらいいるのでしょう。

「昨年の一年間に二四人をシリアの戦闘地域から帰還させ、今年も同様の規模となっている。現地へ向かう前に国境などで拘束した者たちもいる。若者の過激派

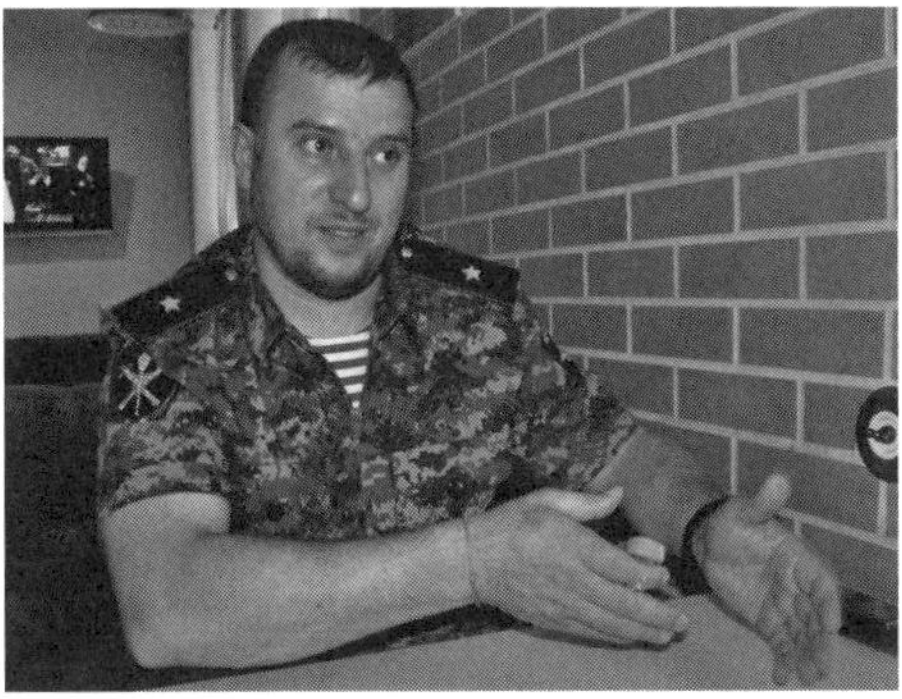

「イスラム国」からの帰還者について語る、チェチェン共和国警察長官のアプティー・アラウディノフ（グロズヌイ／2015年6月25日／毎日新聞社）

加入は連邦レベルの問題であり、さらには国際社会全体の問題だ。オーストリアでは若いチェチェン人が大勢シリアへ向かった。他の欧州諸国でも同様の事態が起きている」

アラウディノフは腕組みをしながら眉間にしわを寄せた。

「我々は現地へ行かせないよう力を入れており、近い将来にはこの流れを止めることができると考えている。インターネットを通じた勧誘が最大の害悪だ。若者たちはＩＳが作った映像を何日間も夢中で見続け、この偽りにはまり込んでしまう。影響を受けやすいのは一八歳から二五歳ぐらいの心理的に最も不安定な世代だ」

まさにサイードの世代である。ふと見ると、アラウディノフは右手の人さし指に指輪型のカウンターを付けている。コーランの章句などを唱えた回数を記録するためのもので、信仰心の篤《あつ》さを示している。話はイスラム教に及んだ。

「シリアへ向かう若者の九九％はイスラムの教えをきちんと学んだことがない。ＩＳは実際のところイスラム教とは何の関係もない。イスラムは善き人々の宗教だ。預言者ムハンマドは神から啓示を受けた二三年間のうち、ジハードのため戦場にいたのは計一カ月間に過ぎない。現在、新たにイスラムを学び始めた人々は段階的な勉強を好まず、コーランの抜粋のようなものに目を通して不正確な理解をしてしまう。これが、過激派のスカウトたちが彼らを美辞麗句でだませてしまう原因だ」

警察長官はテーブルの上に身を乗り出すようにして言葉に熱を込めた。治安責任者としてだけでなく、ムスリムの一人としてＩＳに憤りを感じているようだ。

——欧州からシリアへ向かったチェチェン人の帰還問題について、欧州各国の治安当局とは連携しているのでしょうか。

「大半の欧州諸国の態度には驚かされている。彼らはロシア政府やカディロフ首長をまるで敵とみなしているようだ。欧州諸国の治安当局は長い間、世界を混乱させるワッハビズムが勢力を増していくチャンスを与えてきた。向こうには野蛮な思想に共鳴する者たちが非常に多くいる」

ロシア語で言う「ワッハビズム」とはイスラム過激主義全般を指すことが多い。一八世紀のアラビア半島で発祥した原理主義的なイスラム改革運動が起源のワッハーブ派が言葉の由来だ。確かに欧州諸国の若者のＩＳ加入はチェチェン人だけに限らず、問題化していた。ただ、ＩＳでは特にチェチェン人が戦闘の最前線にいると言われる。戦闘に長《た》けた民族と見なされているためだ。

——過激派のスカウトたちはコーカサス諸民族の勧誘に成功すると高額の礼金を受け取れるとか？

「そう、最も高額なのがチェチェン人だ。奴らの最終目的はカリフ制国家を設立することではなく、戦闘員を説き伏せ、この災厄を我々のところへと送り込むことだ。ISからの帰還者は全員、我々の監視下に置かれる。シリアなどで吸収した負の要素を社会に広めさせないためだ。仮に帰還した一〇人中一人でも勧誘や過激思想流布のためにISから派遣された者がいれば、チェチェンに甚大な悪影響を及ぼす」

アラウディノフは中東における疑似国家としてのISの隆盛よりも、その過激思想の浸透や思想共鳴者による「ホームグロウン・テロ」の危険性を懸念しているようだ。その後のISの変遷を考えると、治安当局者として鋭敏な警戒意識だったと言えるだろう。

## シリア内戦とチェチェン

### ◉シリア入りした過激派チェチェン人

ロシア国内からはチェチェン、ダゲスタンなど北コーカサス地方を中心に数千人がISなどの過激派組織に参加したとみられる。その理由の一つにはコーカサスと中東の地理、文化、歴史における近さもあるだろう。グロズヌイからモスクワまでは直線距離で約一五〇〇キロある一方、シリア北部までは一〇〇〇キロほどだ。イスラム教の宗教文化を共有することは言うまでもない。歴史的には長きにわたって中東一帯を支配したオスマン帝国の領土は一七世紀にはコーカサスまで及んでいた。一八世紀以降、ロシア帝国がコーカサス征服のため南下してくると、戦いに敗れたチェチェン人やチェルケス人など約五〇万人がオスマン帝国へ逃れた。その子孫は今もトルコやヨルダンで暮らしており、つながりは深い。

ただ、シリア内戦へ身を投じたチェチェン人はひとくくりにはできず、様々な出自の戦闘経験者および未経験者が含まれていた。戦闘経験者はジョージアなどロシア周辺国の在住者や、北コーカサスでの戦いから転戦したイスラム過激派だ。一方、未経験者としてはチェチェンから中東諸国に留学中だった学生、欧州やトルコに暮らすチェチェン移民の子弟、サイードのような若いチェチェン在住者などである。動機の面では、同じムスリムとしてアサド政権からシリアの人々を救いたいという使命感やジハードの場を求めたという側面がみられる一方、過激派の一部にはISが唱えた「イスラム国家」樹立に加わりたいという願望があったようだ。

チェチェン系の戦闘員の中には、司令官としてISの拡大に寄与した人物もいる。ジョージア北東部パンキシ渓谷出身のアブー・ウマル・シーシャーニー、本名タルハン・バティラシヴィリである。パンキシ渓谷はチェチェン共和国からコーカサス山脈を越えた南側に位置し、一八世紀ごろからチェチェン系民族のキスト人が定住している。人口約一万人の民族集団だが、第二次チェチェン紛争当時にはロシア側から一万人弱のチェチェン難民が逃げ込み、急進派の拠点にもなった。シーシャーニーは八六年生まれと比較的若いが、ジョージア軍兵士として米軍の訓練を受けた経験があり、退役後に過激化したという。現代的な戦闘能力の高さがＩＳで台頭した理由とみられ、ＩＳの〝戦争大臣〟とまで呼ばれた。一六年三月に米軍主導の有志連合の空爆で死亡した。

チェチェンを研究する同志社大学の富樫耕介の分析によれば、組織としてのチェチェン系イスラム武装勢力のシリア内戦への関与は一二年ごろから始まった。具体的には北コーカサス拠点の「コーカサス首長国」と、前述のシーシャーニーが率いた「ムハージルーンとアンサール軍」がまず挙げられている。コーカサス首長国からは一五〇人がシリア入りしたと報じられた。一方、新興勢力のアンサール軍は指導者シーシャーニーがＩＳに忠誠を誓ったことで一三年末までに分裂した。ＩＳ入りしなかったメンバーはコーカサス首長国に吸収され、ＩＳから分裂して反目したアルカイダ系の「ヌスラ戦線」と共闘関係を築いた。また、ヌスラ戦線などと共闘しつつも自立的な「シャームの兵士」というチェチェン系組織も存在した。

## ◉イスラム過激派との長い戦い

こうして大勢のチェチェン人たちがシリアへ向かった。思惑を異にする複数の反アサド勢力やイスラム過激派組織の競合でシリア内戦の構図が複雑化する中、彼らも入り乱れて戦う状況になった。一方、ロシアのプーチン政権は一五年九月、ロシア空軍によるシリア領内の空爆に踏み切り、軍事介入を始める。これはロシアにとってソ連時代も含めて史上初の中東における本格的な武力行使となった。プーチンは空爆の目的について「アサド大統領がテロとの戦いに勝つよう助け、政治解決プロセスを始める条件を整えることだ」と強調した。では、ロシアがシリア内戦への本格介入を決断した戦略的な理由は何だったのだろうか。例えばシリア西部タルトゥスに存在する地中海で唯一のロシア海軍基地を死守するためか。それとも、一四年からのウクライナ危機で欧米との対立が深まる中、中東における主要アクターとなることで国際社会での復権を目指すためか。

専門家の間ではチェチェンとの関連性を重視する見方もある。米政府の枢要である国家安全保障会議（ＮＳＣ）でロシア・欧州担当の上級部長を務め、その共著『プーチンの世界』で知られるフィオナ・ヒルは、ロシアのシリア空爆に先立つ一三年三月発表の論文で次のように分析した。

〈プーチンにとって、シリアはチェチェンを強く想起させる事例のようだ。この二つの紛争には、「はっきりとした指導者のいない、多様な勢力が政府に戦いを挑み、次第に反政府勢力側にスンニ派過激派集団が入り込んでいった」という共通点がある。「シリアは、世俗的国家とスンニ派過激主義勢力間の、数十年におよぶ抗争における最近の戦場にすぎない。この抗争によってアフガン、チェチェン、数多くのアラブ国家が引き裂かれた」。この見方こそ、プーチンがアメリカやヨーロッパの指導者たちに、何度も強調してきた解釈だ。一九九九年に首相として、二〇〇〇年に大統領として権力を握り、チェチェン紛争に直面して以降、プーチンは「スンニ派過激派勢力に対する懸念、ジハード主義集団がロシアに与える危険」について何度も表明するようになった。ロシアは大規模なスンニ派人口を国内に抱えており、その多くが北コーカサス、ヴォルガ地域（沿ヴォルガ連邦管区）、あるいはモスクワのような都市部で暮らしている。（国内へ混乱が波及するのを警戒し）スンニ派の過激派勢力を封じ込めたいからこそ、プーチンは九・一一後のアメリカのタリバーンとの戦争（アフガニスタン戦争）を支持した。ロシアが、中東におけるスンニ派国家への対抗バランスの一翼を担っているシーア派のシリアとの緊密な関係を維持しているのも、この理由からだ。〉（『フォーリン・アフェアーズ・リポート』日本語版より）

ヒルは「シーア派のシリア」と簡潔に記すが、正確に言うとシリアでは国民の大半はスンニ派で、アサドを頂点とする少数派のアラウィ派が権力を握る。このアラウィ派は土俗宗教の伝統も受け継ぐが、シーア派の分派とみなされている。アサド政権がシーア派大国イランと強固な関係を持つのはそのためだ。シーア派について補足すると、イラン研究者の桜井啓子は〈現代政治におけるシーア派最大の特徴は（中略）国内外の信徒に絶大な影響力を持つ宗教界の権威が存在することである。シーア派の宗教界は、彼らを頂点に、ゆるやかな位階制をなしているために、こうした影響力を発揮するのだが、このような位階制を持たないスンナ派宗教界は、シーア派のような影響力を行使することができないのである〉と著書『シーア派』で指摘する。米国がスンニ派大国サウジアラビアと同盟しているのに対し、ロシアはイランと近しい関係を保っている。

ヒルがプーチンの解釈として紹介する「世俗的国家とスンニ派過激主義勢力間の、数十年におよぶ抗争」とはどういうことか。ソ連は七九年一二月に親ソ政権を支えるためアフガニスタンへ軍事侵攻した。この年の二月、イランでは親米王政を打倒し、ホメイニ率いるイスラム勢力が実権を握る革命が起きていた。ソ連のアフガン侵攻は、イランの動きに刺激されたアフガンのイスラム民族運動を抑え込み、さらにソ連の中央アジアやコーカサスなどのイスラム教徒への影響も阻止するのが理由だったと言われる。だが、ソ連軍は八九年の撤退完了まで一〇年間にわたってイスラム武装勢力との泥沼の戦闘に陥った。ソ連に抗してジハードの旗印を掲げたイスラム・ゲリラは「ムジャヒディン（聖戦士）」と呼ばれ、アラブ諸国などから数万人の義勇兵が参戦した。彼らはソ連と対立する米国から資金援助や武器供給を受け、その一部がやがてイスラム過激派勢力として台頭していく。代表例がアルカイダだ。時を隔てて、チェチェン紛争に際してもアラブ諸国出身のイスラム過激派戦闘員が多数参戦していた。国境の枠を超えて連携するイスラム過激派とロシアとの長い戦い――というプーチンが主張する構図も確かに浮かび上がる。

## ◉シリア介入とカラー革命

ただ、プーチンが繰り返し強調するロシアにとっての脅威はイスラム過激派の他にもう一つ存在する。それはカラー革命だ。シリア介入にも深く関係するこの概念をまず説明したい。色に象徴されるカラー革命とは、ジョージアのバラ革命(〇三年)、ウクライナのオレンジ革命(〇四年)、キルギスのチューリップ革命(〇五年)といったロシアが勢力圏と見なす旧ソ連諸国で起きた民主化政変を指す。「民主化勢力を操り、政変を引き起こしたのは欧米だ」というのがプーチンの主張だ。一一年に起きた中東の民主化要求運動「アラブの春」も、カラー革命の一例というのがロシアの見方である。既存政治体制のあり方に憤る市民の思いやその自律的なパワー、各国における権力バランスなどを無視するもので、半ば以上は陰謀論と言うべきだろう。プーチンがロシアでのカラー革命発生を心底恐れているのは確かだが、しばしば都合の良い論拠として利用していることも見逃すべきではない。

このカラー革命脅威論こそがロシアのシリア介入の背景という見方がある。ロシアを代表する国際政治学者でカーネギー国際平和財団モスクワセンター所長を務めるドミトリー・トレーニンは、ロシアの介入は「中東におけるカラー革命阻止が目的」と分析する。その著作『ロシアは中東で何をしているのか?』(未邦訳)で次のように指摘している。

〈プーチンはまさにシリアにおいて、「米国による中東での体制変革には限度があること」「外部からの軍事介入は許されないこと」「戦争と平和に関する世界の最高権威は、ロシアが拒否権を有する国連安全保障理事会であること」を主張すると決心した。シリア問題におけるプーチン政権の位置取りは、シリアそれ自体や中東に関してというより、世界秩序に重点を置くものだった。(中略)シリアは「アラブの春」の勢いとリビア方式での介入を食い止める場所という意味を持った〉

ここでリビアの事例が重要な意味を持つ。リビアでは「アラブの春」の流れで一一年二月に最高指導者ムアンマル・カダフィの独裁体制打倒を目指すデモが激化し、内戦状態となる。欧米諸国は国連安保理決議に基づき多国籍軍として軍事介入し、反体制派を空爆で支援した。このケースでは確かに欧米は直接関与している。安保理決議に拒否権を行使しなかった当時のロシア大統領はメドヴェージェフである。その年の八月、首都トリポリの陥落で四〇年以上続いたカダフィ政権は崩壊し、その二カ月後にカダフィは民兵に拘束され銃で撃たれて死亡した。カダフィの死後もリビアは国家分裂状態から抜け出せず、ロシアを含む諸外国も介入して内戦が長期化している。

プーチンはリビアやイラクなどで政権打倒を導いた欧米の軍事行動に対して非難を繰り返しており、一四年三月にクリミア編入を宣言した演説の中では次のように訴えた。

〈米国を筆頭とする西側諸国は力による支配を好み、自分たちが世界の運命を決めると信じ切っています。各地で主権国家に武力を行使し、「共にあらざる者は敵である」という原則で同盟を築いているのです。侵略を合法的に見せるために国際機関から必要な決議を引き出し、それがうまくいかない場合は国連安保理も国連も全く無視する。ユーゴスラヴィアの時がそうでした。その後はアフガニスタン、イラク、リビア。飛行禁止区域を守るのではなく、空爆が始まったのです〉

アフガン、イラク、リビアなどの例で欧米は非難されてしかるべき側面が多々あり、介入された各国では混乱が長期化している。プーチンにとっての悪夢とは、ロシアにおいて同様のカラー革命が現実化することだ。それが実際に起き得るかは別にして、断固阻止するための過剰防衛的な姿勢がロシアの国内政策のみならず対外政策にも反映されている。

ロシアのシリア内戦介入はプーチン政権にとって、「イスラム過激派との長い戦い」の一環であり、また「中東におけるカラー革命阻止」という世界秩序とロシア内政に関わる重要な意味を持ち、さらに「ウクライナ危機後の国際社会での復権」や「シリア・タルトゥス海軍基地の保持」という狙いも重なって実行された——。このように複合的に捉えるべきではないだろうか。

フィオナ・ヒルはロシアの軍事介入以前に執筆した先の論文で〈プーチンはシリアとチェチェンに共通項を見いだしているが、シリアとチェチェンの状況は大きく違っている。いまやシリア全土が内戦に苦しめられているし、アサドは、プーチンがチェチェン対策に用いたような、十分な資源を持っていない〉と指摘した。だが、ロシアのシリア空爆が状況を変えた。ロシアの軍事を研究する東京大学先端科学技術研究センターの小泉悠はその著書『「帝国」ロシアの地政学』でこう述べている。

〈ロシアがシリアに対する介入で一定の成果を上げられた要因はいくつか挙げられる。たとえば、シリアでの空爆においてロシア航空宇宙軍が無差別爆撃を多用していることはその一つである。（中略）シリアにおけるロシアの「戦果」は、民間人の巻き添え被害を厭わない根こそぎ型の爆撃に支えられている部分が大きいと言える〉

ロシア軍はチェチェン紛争に共通する残虐な無差別攻撃を実施し、倫理的な縛りの弱さを〝強み〟とした。シリアの反体制諸派を病院、水道施設などの重要インフラや市民もろとも攻撃したのだ。シリアの政権軍やイラン革命防衛隊、シーア派民兵組織などの地上戦力と連携し、危機にあったアサド政権を攻勢へ転じさせた。ロシアとしては介入の目的を果たしたことになる。

## ◉ＩＳ敗退とカディロフの積極関与

シリア情勢が混迷する中でバグダディ率いるＩＳは当初勢いを増すばかりだった。ロシアの軍事介入後もＩＳはイラクとシリアにまたがる地域で支配領域を広げ、最盛期の一五年には両国の四分の一ものエリアに恐怖支配を及ぼした。しかし、ロシア軍や米国主導の有志連合軍による空爆、クルド人勢力や親イランのシーア派民兵組織の地上攻撃は着実にダメージとなり、追い詰められていく。一七年一〇月にはＩＳが「首都」としたシリア北部ラッカが解放され、疑似国家としてのＩＳは終焉を迎えた。

ＩＳの敗退によってチェチェンに関わる新たな問題が浮上する。戦闘員本人の帰還問題に加えて、ＩＳメンバーになった夫や恋人の後を追ってチェチェンからイラク、シリアへ渡航した多くの若いチェチェン人女性とその子供たちが安否不明となったのだ。チェチェンの人権団体の調査では、行方不明になったロシア出身の母子は一七年夏の時点で最大三〇〇〇人と言われた。夫が戦死して寡婦となった女性も少なくないようだ。

こうした女性の親たちは、娘がある日突然自宅から姿を消し、その後の本人からの連絡で現地入りを知らされるケースが多かった。ＩＳの敗走を受けて連絡が途絶えると、安否を気遣う母親たちは勇気を振り絞って「娘と孫の帰還」をロシア政府に働きかけるようになった。イラク政府の理解やチェチェン共和国政府の後押しもあって、ロシア軍特別機などによる帰還は少しずつ進んだ。娘と孫を救うため奔走した母親たちはチェチェン紛争の苦しみを嫌というほど味わった世代だ。帰還問題を現地取材した同僚記者の杉尾直哉に対し、ザラという名の母親はこう訴えた。「私たちは二度の戦争を経て、さらに新しい戦争に巻き込まれました。これはチェチェン人の運命なのでしょうか」と。

ＩＳなどイスラム過激派に吸い寄せられるチェチェン人が続出した一方、カディロフ率いるチェチェン共和国政府はプーチン政権の意を受けてシリア内戦への関与を深めていった。シリアではアサド一族など政権中枢はイスラム教シーア派系のアラウィ派が占めるが、人口の約七割はスンニ派住民でチェチェンと宗教的な基盤を同じくする。また、チェチェンの軍人たちはイスラム過激派との戦いに慣れている。この二つの要素からプーチン政権にとってシリア介入で使い勝手の良い存在としてチェチェンが浮上したのである。カディロフにとってもイスラム圏を含む国内外で「名声を高める」チャンスとなり、積極的に関与をアピールした。

一六年一二月、チェチェンの憲兵隊約五〇〇人が初めてシリアへ派遣された。ＩＳから奪還されたばかりの北部アレッポでパトロールや人道支援物資の配布にあたる様子をロシア・メディアが大きく報じている。憲兵隊は増派が重ねられ、緊張緩和地帯でのパトロールを主に担当した。チェチェン人のイスラム過激派グループと直接戦闘する場面もあり、戦死者も出ている。コーカサスを専門とするカナダ人アナリストのニール・ハウアーは〈北コーカサス出身の憲兵隊が路上でイスラムの礼拝を行っているのを見て地元住民は驚いたが、おおむね肯定的に受け止められた。ロシア政府の狙いはある程度成功したとみられる〉と論考で指摘する。

軍事以外の面では、官製のアフマト・カディロフ基金が食料支援を行ったほか、アレッポやホムスの大モスク修復に資金援助すると発表した。人的往来も盛んになり、チェチェン側からは連邦下院議員アダム・デリムハノフやムフティーのサラフ・メジエフがシリアを訪問した。シリア側からは宗教関係者たちがグロズヌイを訪れるようになった。また、シリアに暮らすチェチェン移民家族の出身で、ロシア連邦上院議員を務めたカディロフ側近ジヤド・サブサビの存在もプラスとなった。サブサビはアレッポで生まれ育ち、ソ連末期にチェチェンへ移住、ロシア国籍に変更した経歴の持ち主だ。カディロフから中東・北アフリカ特使に任じられ、両地域の歴史的つながりが現代に生かされた。こうした軍事と民生の両面におけるシリア進出で存在感を示し、カディロフが自信を深めたのは間違いないだろう。プーチンとの〝御恩と奉公〟の関係がロシア国外で表だって発動される画期的な事例となった。

ロシアは近年、権益確保などを狙って、シリアにとどまらず中東・アフリカ諸国の一部へ軍事進出する動きを強め、この地域での存在感を高めてきた。その一つが内戦下のリビアであり、また紅海に面したスーダンには海軍施設を設けようと画策する。

リビアでは、二〇一五年ごろから続く西部のシラージュ暫定政権と東部を拠点とする民兵組織「リビア国民軍」(LNA)との勢力争いに対し、ロシアはLNA側について軍事支援を実施した。クレムリンに近い民間軍事会社「ワグネル」の傭兵数千人が現地へ派遣されたとみられる。内戦は二〇年一〇月に停戦合意が結ばれたが、和平の実現は予断を許さない状況だ。

先のカナダ人アナリスト、ニール・ハウアーは同年五月の論考で、カディロフがリビアの交渉に関与したことを指摘し(例えば一九年一二月に当時のシラージュ暫定首相と電話協議を実施)、チェチェンの特殊部隊が投入される可能性に言及していた。リビアもイスラム教スンニ派が主体のアラブ国家だからだ。

今後、シリア同様にカディロフのチェチェンがこうした土地で〝活用〟されることは大いにあり得るだろう。チェチェンの役割拡大によって、ロシア国内でカディロフの発言権が強まることや、チェチェンが中東における一つのアクターとなってゆく将来像も否定はできない。連邦の「内なる外国」による軍部隊派遣や独自外交の展開は、長い射程で見ればロシアにとって危うさもはらむ諸刃の剣と言えそうだ。

## ウクライナ東部紛争とチェチェン

シリア内戦の激化やＩＳ台頭と時期的に重なる一四年春に勃発したウクライナ東部紛争にも、チェチェン人たちの姿があった。ロシア寄りのヤヌコヴィチ政権が反露・親欧米勢力に打倒されたことに端を発したこの紛争は、事実上ロシアとウクライナの戦争である。それゆえ、ロシアと親露派武装勢力の陣営にはカディロフ傘下のチェチェン人が参戦し、ウクライナ政府側には独立派のチェチェン人が助っ人として駆けつけた。

私自身が現場取材でその姿を目撃したのは一四年五月のことだ。親露派が支配するウクライナ東部ドネツク市のレーニン広場に軍用トラックの荷台に乗って現れた数百人の戦闘員、その多くがチェチェン人とみられた。自動小銃を持ったひげ面の男たちはスラヴ系のロシア人やウクライナ人とは明らかに雰囲気が異なっていた。彼らは親露派住民の歓声を浴びていたが、翌日には激しい戦闘で命を落とす者もいた。親露派が新たに占拠したドネツク国際空港へウクライナ軍が空爆を行い、空港を巡る攻防戦が始まったためだ。チェチェン兵とみられる彼らは携帯型ロケット砲なども使用しており、おそらく実戦経験豊富なメンバーが中心だったのだろう。

この日の戦闘に関して、当時のドネツク市長は「病院に搬送された負傷者のうち八人がロシア国籍で、チェチェン共和国の住民も複数含まれる」と彼らが携行していた身分証明書を基にした情報を明らかにした。親露派側にチェチェン人が加わっていた確たる証拠だ。これに対してカディロフは声明で「チェチェンの軍部隊は参戦していない」と公的な関与を否定する一方、「もしチェチェン人が目撃されたなら私的な行動だ」と加勢自体は否定しなかった。カディロフは一四年一二月の民放テレビ局のインタビューでは「シャイタン（悪魔）を壊滅させるため、一義勇兵としてドンバス（ウクライナ東部）へ行く用意がある」と語ったこともあり、配下のチェチェン人を派遣したと考える方が自然だ。

チェチェン人のウクライナ紛争参戦について、キエフを拠点とする米国人ジャーナリストのニコラス・ウォーラーは〈カディロフは親露派のために数百名の戦闘員を派遣した〉とみる。一方のウクライナ政府軍側には〈チェチェンの分離独立派で構成される大隊規模の義勇軍部隊がいる。戦闘員の多くは二度のチェチェン紛争での戦闘経験がある〉と論考で指摘した。大隊規模とは数百人から一〇〇〇人超を意味する。

この義勇軍部隊は、第一次紛争中の九六年にロシア軍によって殺害されたチェチェン独立派指導者ジョハル・ドゥダエフの名前を冠して「ドゥダエフ大隊」と名付けられた。司令官のアダム・オスマエフは、ウォーラーの取材に「ウクライナの戦争は多くの意味で我々の戦争でもある。我々は同じ大義を掲げて、同じ敵と戦っている」と語っている。「大義」とはロシアからの〝独立〟であり、「敵」とはプーチン率いるロシアに他なるまい。ドゥダエフ大隊は、チェチェン紛争で独立派の指揮官だったイサ・ムナエフが一四年春に組織したとされる。ムナエフはそれまで移住先のデンマークで暮らしていた。彼の率いる大隊には欧州各国へ逃れていたチェチェン人元戦闘員たちが集まった。イスラム過激派とは異なる層の人々だ。ロシアに対する雪辱戦の様相を呈したが、秘密裏にロシア軍部隊が侵攻する中でウクライナ政府軍側の犠牲は相次ぎ、ムナエフも砲撃を受けて死亡した。親露、反露双方のチェチェン人の参戦はウクライナでの戦況を大きく左右したとは言い難いが、チェチェン紛争の対立構図が過去のものではないことを印象づけた。

## なぜチェチェン人は紛争へ引き込まれてしまうのか?

本章の最後に、「なぜチェチェン人は紛争へ引き込まれてしまうのか?」という冒頭の問いを考えたい。チェチェン紛争を経験した世代の独立派チェチェン人、主に欧州へ逃れていた人々がロシア軍に対する復讐の機会を求めてウクライナ紛争に参戦するという動機は比較的理解しやすい。単に復讐というだけでなく、彼らはウクライナでの戦いを通じて、プーチン政権とカディロフ体制に抗する「チェチェンでの解放運動の復活というわずかな可能性」(ニコラス・ウォーラー)に賭けたとの見方がある。一方のカディロフがプーチンに対する奉仕として、ロシアの戦略に沿って配下の戦闘員を派遣するというのも分かりやすい構図だ。とりわけ、第四章で取り上げたネムツォフ暗殺事件（一五年二月）でプーチンに見限られる危機にあったという指摘が事実であれば、カディロフとしては信頼回復を図ろうと躍起になったと考え得る。また、古参のイスラム過激派は展望を見出せない北コーカサスでの戦いから転じて、「新たなジハードの場」として意義があるとみたシリア内戦に身を投じた。

一方で、チェチェン紛争後に育った若い世代がＩＳなどのイスラム過激派に参入して中東の戦場へ赴いた動機はやや見えにくい。プロパガンダ動画やＳＮＳを通じた積極的な勧誘が直接的な要因だが、それのみでは平穏な日常を捨てる理由にはならないはずだ。国立チェチェン大学副学長のマザエワはＩＳ入りした若者たちについて困惑気味に語っていた。「彼らは何を、誰を守ろうと行ってしまったのでしょう？　何かの感覚に賭けてしまったのかもしれません。私たちのメンタリティーではこんなことは起きないはずだったのですが……。大勢ではありませんが、裕福な家庭の子供たちが行ってしまいました。お金が幸福をもたらすわけではないという証明です」

本章の前半で取り上げた若者サイード・マジャエフも貧しい家の出身ではなく、正義感に駆られたことがシリアへ向かった要因だった。こうした若いチェチェン人の紛争地行きについて、私は示唆に富む論考を見つけた。イスラム政治が専門の米国のシンクタンク「センター・フォー・グローバル・ポリシー」が二〇年一〇月に発表したリポートだ。英公共放送BBCなどでチェチェンに関するドキュメンタリーを制作してきたジャーナリストのニック・スターディーと、チェチェンの歴史家で政治アナリストのマイルベク・ヴァッチャガエフの二人が共著者である。彼らの指摘は次の通りだ。

〈北コーカサスにおけるISの誘因力は、紛争に勝利しているというイメージや、イスラム法に基づく領土の確立というイメージを流布したことに大きく依存していたが、この地域からの異常なレベルでの勧誘の根底には深い国内的な要因もあった。（中略）この地域は▽強硬な治安維持活動▽エリート層に対する免責▽実効性ある選挙の欠如▽汚職▽社会的正義が存在しないというムード——の組み合わせに取り巻かれている。チェチェンでは▽超法規的な処刑▽拉致▽公共空間での侮辱▽過激派戦闘員の家族が処罰される政策▽拷問の広範な使用——などの全てが怒りと復讐願望を生み出している〉

「深い国内的な要因」は本書で取り上げてきた内容と共通する。治安維持のために暴政や不公正が許され、縁故主義の蔓延《まんえん》によって努力による自己実現は困難。そんな社会に生まれ育った若者たちが活路をイスラム過激派に見いだしているということだ。かたや欧州で暮らすチェチェン人の若者がIS入りしたのは移民出身者にとって自己実現が難しい現実や差別、疎外感、それらをベースとした過激思想への傾倒などが要因と考え得るだろう。フランスなどでチェチェン系を含む移民出身者のテロが相次いでいるのと同じ構造だ。

「疑似国家」としてのＩＳの終焉を踏まえた〝ポストＩＳ時代〟について、ヴァッチャガエフらの論考はさらに指摘する。

〈一六年以降、暴力行為や攻撃への参加者の年齢は以前より非常に若くなっているようだ。「コーカサスの結び目」（ロシアの人権団体「メモリアル」が運営するニュースサイト）は、一六～一九年に北コーカサスにおいて治安部隊との衝突で殺害された過激派戦闘員の約九〇％が三五歳未満だったと明らかにした。また、若い過激派の割合が増えていることも判明した。一五年には、負傷または殺害された戦闘員の七〇％が三五歳未満だったが、一八年には九五％に増加した。例えば一六年一二月にグロズヌイで起きた一連の衝突では、殺されたのは全て二〇歳以下だった。（中略）数年前ならシリアで戦うため旅に出ただろう人々が今では居残っており、地元での（テロなどの）暴力増加が示唆されている〉

中東におけるＩＳの退潮や渡航取り締まりの強化がロシアやチェチェンの治安にとっては逆にマイナスになるという分析だ。殺された戦闘員の実数は毎年二〇人前後だが、若い世代への過激思想の浸透は看過しがたい。鬱屈《うっくつ》した若者たちがＳＮＳなどを通じて戦いの道を志向していくところまでは以前と同じだが、もはやシリアという出口が存在しないからだ。自然、地元が戦いの場になっていく。ここで例示されている一六年一二月の事件では過激派戦闘員七人と治安部隊員四人が死亡している。皮肉なことに、あのサイード・マジャエフの弟イブラヒムも殺害された戦闘員の一人だった。ＩＳを脱出した兄の教えは弟の心には届かなかったのだ。

いま、カディロフ独裁体制が生んだ矛盾がブーメランのようにチェチェンへ向かっている。社会正義に飢えた若者の一部は、二〇一〇年代は外部の紛争へ向かった。だが、このはけ口が失われるとチェチェン内部に負のエネルギーが溜まっていく。既に危険な兆候が表れているが、対症療法に慣れたカディロフに根本原因を改める気配は見えない。

# 第六章　「チェチェン化」するロシア

## ガンヌシキナの喝破

「チェチェンの将来はロシアの将来です。いま起きているのは何でしょう。チェチェンのロシア化なのか、ロシアのチェチェン化なのか。実際のところ、ロシアのラムザン・カディロフ化が起きているのです」

現地の状況に詳しい人権活動家、スヴェトラーナ・ガンヌシキナが私に語った言葉だ。ロシアのチェチェン化、カディロフ化とは何だろうか。私なりに考えてみたい。世界一の国土面積を誇るロシアの中でチェチェンは小さな一地方に過ぎない。だが、本書で追ってきたチェチェンの特異性を改めて振り返ろう。重要な要素は三つある。第一は、父子にも例えられるプーチンとカディロフの密接な関係。それと関連して第二には、連邦中央の愛国路線や親プーチン路線に過剰なまでに同調するチェチェンの「求心力」だ。そして第三は、ロシアの他地域から離れて異端へと向かうチェチェンの「遠心力」である。この三つの要素が重なり合うことによって、チェチェンはロシア全体を過激で強権的な方向へぐいぐいと牽引《けんいん》しているように見える。例えて言えば、巨大タンカーを曳航《えいこう》するタグボートのイメージだ。本章では、チェチェンの過激さがロシア全体に与える影響について考察する。

どういうことか。具体的に二つの仮説を提示したい。一つは中央の治安機関への影響である。第四章で触れたようにFSBなど連邦治安機関とチェチェンの武装集団カディロフツィとはしのぎを削る関係にある。ガンヌシキナのような人権活動家から見れば、両者は市民社会の抑圧や数々の暗殺実行など実力組織としての悪の面で競い合っている。第二次チェチェン紛争につながったアパート連続爆破事件などFSBは数々の疑惑を抱えているが、近年について言えばこの競争でカディロフツィに軍配が上がると私は考える。過激派の親族の家を焼くなど人権無視の行為を平然と遂行しているとみられるからだ。こうしたカディロフツィの行動は連邦治安機関の〝お手本〟となってはいないか。国家の暴力装置として越えてはいけない一線を緩くさせる要因となってはいないか。カディロフツィの為すことが許されてきたのはプーチンとカディロフの関係ゆえである。これが一つ。

もう一つはメディアを通した社会への影響である。プーチンとの関係性の強さやカディロフの個性的なキャラクター、チェチェンの特異で目立つ政策展開、露骨な愛国路線などによって、ロシア国内でチェチェン関連のニュースが報道される頻度は相当に高い。その内容は第二章で挙げたような現代チェチェンの過激さや異質さを示すものが多い。ロシア市民は日々こうしたニュースにさらされることによって、チェチェンと比べればまだ穏健といえる連邦中央の強権統治を受け入れやすくなってはいまいか。「ロシア全体はチェチェンよりまだましだ」と。常に先を行くチェチェンの過激さを見慣れることによって、連邦中央がチェチェンに追随するような新たな強権発動に出ても、抵抗感が薄くなってしまうのではないか。

プーチンとカディロフの擬似父子関係にも考えを巡らせたい。実の親であるアフマトが暗殺された当時、カディロフは二七歳の若者だった。突然にして近い将来にチェチェンの統治を担う成り行きとなった彼にとって、庇護者となったプーチンは絶対的存在だったに違いない。ここで、生まれたてのひな鳥が目の前を動く物体を親と見なして一生追従するという刷り込み現象が想起される。ロシアの大衆に訴える「男らしさ」や「力強さ」を強調したプーチンの統治スタイルや政治指導者としての個性を、カディロフは模倣し、より極端な形へと発展させて今に至るのではないだろうか。カディロフによるプーチン・スタイルの模倣はロシアの専門家も指摘するところだ。

その結果、どうなったか。「トリックスター」という言葉がある。辞書によれば、神話や民話に登場する〝いたずら者〟のことであり、秩序の破壊者でありながら同時に創造者でもあるという。世に新しい状況を生み出す媒介的な存在だ。カディロフはロシアにおけるトリックスターになっているのではないだろうか。生み出される「新しい状況」が悪しきものだとしても、だ。

ガンヌシキナの話に戻ろう。民主的なロシアとチェチェンを長年追い求めてきた彼女は、厳しい現実を踏まえつつも希望を捨ててはいない。

「プーチン氏がロシアの国家指導者である限り、チェチェンで何かが大きく変わるとは考えられません。仮にもし、プーチン氏が将来のある時、『ラムザンは権力の分け前をあまりに多くもらい過ぎている』と判断したとしても、その結果として何か良い方向へ行くとは思えません。チェチェンにとって真に良い方向とは、民主的な選挙が実現し、人々が自ら投票所へ行って一票を投じることです。そして彼らがリーダーと認める人物が指導者の地位につくことです。民主的な価値観がチェチェン社会の大勢を占め始めた時です」

論理的な口調で話が続く。彼女はかつて大学の数学教師だった。

「民主的な価値観は欧州固有の価値観ではなく、人類共通の価値観です。社会の民主化とは社会発展の法則です。この法則は物理や力学の法則のように一義的に現れるものではありませんが、国を壊したくないのならば法則に反して進んではならない。私たちはロシアに民主主義を導入しなければいけない。社会はそれぞれ異なりますが、全ての民族において民主的運動は自然にあるのです。そして反・民主主義の方向へと故意に粛々と進む国家は、自らを破壊しているのです」

民主制は万能ではないにしても、ガンヌシキナの警鐘は重く受け止めるべきだろう。権力獲得から二〇年を経たプーチン政権は反・民主主義の方向へ加速している。その先を行くのがカディロフのチェチェンだ。ロシアがチェチェンを後追いしているように見える現象。これをロシアの「チェチェン化」と表現し、詳しく考えていきたい。

## ゴルバチョフの予言

ロシアと民主主義については、ソ連最後の指導者であるミハイル・ゴルバチョフも私たちのインタビューで持論を展開していた。ロシアの民主派の最長老というべき彼の言葉を紹介したい。ゴルバチョフは二〇一五年一二月、毎日新聞モスクワ支局の依頼に応じて書面と口頭を組み合わせる形で取材を受けた。当時すでに八四歳。長時間の面会は体力が許さなかったのかもしれない。聞き手は支局長の杉尾直哉と助手のオクサナ・ラズモフスカヤである。私は写真撮影を担当した。杉尾は、プーチンのロシアをゴルバチョフがどう考えているのか質問をぶつけた。以下、書面での回答から。

——ロシアの内政についてはどう見ていますか。今後の方向は？

「ペレストロイカとその理念、原則とは、人々を政治に参加させ、民主的なプロセスによって社会の問題を解決することだった。また、段階的な変革であり、今日の世界が相互依存型の世界であることを理解し、国際政治・経済への諸国の統合に向けた取り組みだった。こうした巨大かつ歴史的な課題は、今日も現実的な意義を持つと思っている。それはロシアだけでなく、世界についてもそうだ」

ゴルバチョフはまず、自身が末期のソ連で実行した政治・経済改革「ペレストロイカ（建て直し）」について、その意義を改めて強調した。ペレストロイカとグラスノスチ（情報公開）によって長らく硬直化していた社会の矛盾が噴出し、体制批判は激化、ソ連崩壊につながったとも評される。だが、ゴルバチョフ本人はそれらが失敗だったとは思っていない。ロシアの現在に話は続いた。

「いかに今日、（欧米の対露制裁や原油価格下落により）我々の経済的な問題が深刻であろうと、問題の根は経済にあるのではなく、政治にあることを我々は理解しなければならない。ロシアの政治には解決されていない課題がたくさん残っている。ペレストロイカの時期に取り上げられた課題だ。それは、多元主義と競争による政治システム、真の複数政党制をつくることであり、（行政、立法、司法の三権分立による）チェック・アンド・バランスのシステムの構築、任期を区切ることにより権力の交代を実現することだ」

確かにロシア連邦議会を見ても、多数派の与党「統一ロシア」に加えて体制内野党と呼ばれる共産党、ロシア自由民主党などしか議席を有していない。真に野党らしい野党は国政から排除されている。司法の独立は怪しく、権力交代の可能性は不透明だ。年老いたゴルバチョフは警鐘を鳴らす。

「今日（ロシアで）我々が目にしているのは何か。力強くて効率的に機能する国家機関や市民社会ではない。代わりに、そうしたものに似せた仕組みが作られている。真の重みも影響力もない。また、権威主義的な傾向が強まっている。個人による権力システムがロシアで出現した兆候がある。それは危険で、社会を深く、そして長期間にわたって分断するおそれがある。その結果、悲劇がもたらされる可能性がある。

過去数年間にわたって、我が国の安定を支えてきたのは、世界市場で高値だった石油・天然ガス（輸出）による収入と（プーチン）大統領への高い支持だった。しかし、安定は最終目標にはなりえない。安定のために政治的な停滞という犠牲を強い、政敵となりそうな者を抑圧し、（市民）社会の動きを縛り付けるのであれば、そんな安定はいずれ行き詰まる」

安定最優先による政治的停滞と将来の行き詰まり。このインタビューから五年が経って、プーチンは二〇年七月、事実上の終身大統領制を可能にする憲法改正を行った（この問題は終章で詳述する）。ロシア社会の閉塞感は強まり、ゴルバチョフの「予言」は現実のものとなりつつある。

彼への取材は、モスクワのレニングラード通りに面したビルにある本人の執務室で行われた。老政治家は藤色のポロシャツにチャコールグレーのスーツを合わせ、家族に関する質問などには立ったまま受け答えた。健在ぶりをアピールしたかったのだろう。ロシアの将来については次のように述べている。

「（今のロシアの）経済的な危機と、国際的な（欧米諸国との間の）緊張の高まりの中、過去数年間に強まってきた反民主的な傾向を阻止することは可能だろうか。その問いに答えるのは容易ではない」。ゴルバチョフは自問した後、断定的に持論を締めくくった。「ロシア国内と国際政治とは袋小路に陥っている。我々はロシアの政治を民主化しなければならないし、国際政治も民主化しなければならない。他の道はない」

国際政治の民主化とは米国の一極支配を排して多極的な世界に変えることを指す。この点ではプーチンの主張と重なる。ただ、同時に国内の民主化をも主張するのがゴルバチョフらしさだ。ロシア政治の長老は私たち一人一人とがっちり握手を交わしてインタビューを終えた。大きく肉厚な手だ。手土産の日本産ウイスキーには相好を崩し、「晩酌は小さいグラスにウイスキーかウオッカ一杯だけ。それ以上は医者に禁じられている」と言って、小さく笑った。現在の世界は権威主義の中国がアジアの枠を超えた大国として伸長し、対するトランプ前政権下の米国では民主主義や国際協調主義を軽視する政治が続いた。民主主義の価値観は大きく揺らいでいる。ましてプーチンのロシアである。残念ながらゴルバチョフの訴えとは逆の非民主化の方向へ突き進み、そのスピードは増している。

## ソチ五輪と双頭の鷲

ロシアにとって、近年で最大の転機は二〇一四年前半にあった。この年の二月、黒海に面した保養地ソチでは冬季オリンピックが開催された。プーチン政権が巨費を投じ、「大国ロシア」のアピールと国民の統合を目指す壮大な祭典だった。だが、まさにこの五輪のさなかに隣国ウクライナでは反政権デモが激化し、ロシア寄りだったヴィクトル・ヤヌコヴィチが大統領の座を追われた。自国の勢力圏を欧米に侵されると解したプーチン政権はウクライナ南部のクリミア半島を軍事制圧してその編入を強行し、ウクライナ東部では秘密裏の軍事侵攻に踏み切った。一連のウクライナ危機によって欧米とロシアの対立構図が深刻化していく。

さて、改めてソチ五輪当時に時計の針を戻したい。私は取材班の一人として現地にいた。ロシアは五輪のためにテーマパークのような空間を作り上げていた。約二万五〇〇〇人のボランティアが笑顔で雰囲気を明るくし、警官ら約四万人の厳戒態勢でテロ発生を抑える。観客や選手の評判は上々だった。競技会場は国旗を振って「ロシア！」と連呼する応援の市民であふれた。一九六四年の東京五輪が日本の敗戦一九年後に開催され、日本人に自信と誇りを取り戻させたように、今回の五輪はソ連崩壊から二三年を経て復活したロシアを印象づける試みだった。

この五輪取材で私が強く感じたのはロシアにおける二つの志向である。伝統的価値観を重視するのか、欧米と共通する価値観を大事にするのか、というものだ。それぞれの象徴的存在と私が捉えたのが、ソチのあちこちで見かけたコサックと若いボランティアだ。伝統的な軍事社会集団であるコサックはソ連崩壊後に愛国主義グループとして復興し、ソチでも警察を補助していた。気さくに英語で声をかけてくるボランティアたちと、険しい表情で歩くコサックの姿は実に対照的だった。ロシア人メダリストにも二つの志向が見て取れた。国家を強く意識する選手もいれば、欧米を練習拠点に活用し、ロシアと西側との軋轢《あつれき》に対してもあっけらかんとした様子の選手もいた。

こうした二つの方向性から、私はロシアの国章である「双頭の鷲」の意匠を連想する。体は一つでも二つの頭は正反対を向いている。ロシアでは帝政末期の一九世紀半ばにも、ピョートル大帝以来の西欧化の道を進むべきだと訴える「西欧派」と、ロシア独自の道を歩むべきだとする「スラヴ派」の論争があった。二〇一二年に首相から大統領に復帰したプーチンは求心力を高める狙いでロシアの伝統や愛国史観を強調し、伝統文化を支えるロシア正教会とも密接な関係を築いている。伝統の道を行く「我ら」と、伝統に反した「彼ら」という二分法をとり、社会への圧迫を強めた。この傾向のダメ押しとなったのがウクライナ危機による欧米との鋭い対立だ。東と西を向くロシアの双頭の鷲。一四年以降、西を向く鷲は瀕死の状態にあると思えてならない。

ロシアの「チェチェン化」は、この二つの価値観を巡る大きな流れの中で進行してきた。「スラヴ派」の流れに基づく伝統や愛国史観の強調・強要と、「チェチェン化」によるロシアの強権的な方向への変貌とは密接に絡み合っている。単にチェチェンとロシア中央との関係の中だけで起きている独立した現象ではないのだ。二〇一四年以来の急激な反欧米化、そしてプーチン政権誕生二〇周年を迎えた二〇二〇年を経て、「チェチェン化」は完成に近づいているように見える。

## ロシアの同性愛者抑圧

ロシアの「チェチェン化」の代表的な事例として、性的少数者（ＬＧＢＴＱ）に対する扱いを取り上げたい。ロシアでは一三年に彼らへの差別や抑圧につながる「同性愛宣伝禁止法」（通称）が成立した。これにより、翌年のソチ五輪では欧米諸国の首脳らの訪問ボイコットを招いている。実際、同法に基づく有罪判決も出ており、性的少数者の社会活動は抑え込まれてきた。だが、チェチェンではさらに過酷な弾圧が行われている。ロシアの「チェチェン化」という仮説に基づき、「今日のチェチェンは明日のロシア」と考えるならば、また、少数者への弾圧は別の少数者へとターゲットを拡大していくと考えるならば、いかに恐ろしいことだろうか。

まずはこの法律の成立に至る流れをおさえておこう。一二年五月、大統領に復帰したプーチンの政権は反政府の動きを恐れ、市民社会を締め付ける各種の法整備を進めた。一一年一二月に下院選の不正疑惑を発端として大規模な抗議デモが発生したことがその背景にある。集会や言論への規制強化、非政府組織（ＮＧＯ）の締め付け強化、宗教信者への侮辱禁止法――。そして同性愛宣伝禁止法である。同法は、未成年者に対して同性愛など「伝統的家族観に反する情報」を宣伝・普及することを禁じ、最高一〇〇万ルーブルの罰金や法人活動の九〇日間停止を科す。

「プーチン政権は、NGOや性的少数者、外国人労働者らを〝伝統を乱す敵〟として扱い、国内の不満をそらすのに利用しているのです」。国際人権NGO「ヒューマン・ライツ・ウォッチ」ロシア代表のタチアナ・ロクシナは私の取材にこう指摘した。彼女は問題の前提としてロシアの社会状況を次のように解説する。

「現在、市民社会は攻撃にさらされ、ソ連崩壊以降で最も危機的な状況にあります。プーチン氏が大統領復帰のプランを表明した一一年九月以降にこうした動きが始まったのです。この年の反プーチン・デモは政権を恐れさせ、プーチン氏は大統領復帰後にネジを締め始めた。自由な活動への攻撃を始め、社会を自らの統制下に置くよう努め出したのです。政権批判者を黙らせるため、短期間に次々と法案を押し通した。その一つが外国エージェント法です。国外からの資金を受け取ったNGOは金額の多寡を問わず、『外国のエージェント（代理人）』として登録しなければならない。エージェントという語句はロシア語では外国のスパイと同様に理解される。この法律の真の目的はNGOを悪魔化すること。政権にとって市民活動を抑圧するための重要な道具なのです。デモを厳しく規制する法律やネット上での言論を規制する法案も可決されました」

そして、性的少数者もターゲットとなった。ロクシナは深刻な表情で話を続けた。「これは非伝統的な性的関係の宣伝を禁止するという法律です。政府関係者は子供を守るのが目的だと言い繕います。しかし、ロシアのマスコミでは恐るべき同性愛嫌悪のプロパガンダがあふれ出しています」

ここでも「伝統」が強調されていることに注目したい。法律の成立を境としてＬＧＢＴＱ活動家らに対する襲撃の件数が急増したという。また、規制に従って一八歳未満は閲覧禁止という形で性的少数者向けコミュニティをウェブ上で運営していた女性が有罪となるなど、法律を拡大解釈したとみられる事案も報告されている。

私はソチ五輪を前に当事者にも話を聞いた。取材に応じたのは同性愛者の人権活動家ミハイル・トゥマソフ（三八）だ。ずんぐりとした体形と二重の垂れ目で温和そうな彼は、ＮＧＯ「ロシア地域間ＬＧＢＴネットワーク」モスクワ支部の幹部を務める。彼らの組織はロシア全国に一七支部あり、メンバーは約三〇〇〇人という。当事者向けに二四時間対応の電話相談で心理的、法的アドバイスをするほか、社会に理解を促すための冊子配布やセミナーも実施してきた。

彼は穏やかな口調で現状を語り始めた。「ロシアでは性的少数者であることを隠していれば問題は起きません。けれど、職場の同僚や親族へオープンに話したら大きな困難に直面するでしょう。解雇のおそれすらあります。同性愛宣伝禁止法はこうした状況を悪化させるものです。

私自身もあるとき『ゲイだ』と言ったら、散々に殴られた経験があります。脳しんとうで入院しましたが、警察は捜査を拒否しました」

背筋が寒くなるような体験談だ。トゥマソフは小さくため息をついて、話を続ける。「私たちの仲間に自身は当事者ではないけれど、同性愛者の人権を守るため体を張っている教師たちがいます。今、彼らに対する攻撃が起きている。『子供を教育する資格はない』と言われたり、退職を迫られたりしている。これがいったい抑圧ではないのでしょうか？　新聞が同性愛について書くのを禁じられたり、発行ライセンスを奪われたりしたケースもあります」

法律施行を受けて、現場には抑圧の風が吹いている。実態を知る彼から見て、同法の問題点は特にどこにあるのだろうか。

「この法律で最も苦しむのはＬＧＢＴの未成年者です。彼らが必要とする情報を提供することが禁じられてしまいました。第二に教師や心理学者です。彼らがもし、自分がレズビアンだと感じている少女に対して『それは普通のことだよ』と言ったら、それだけで有罪となり得る。ジャーナリストも苦しむでしょう。ロシアでは多くの人々が同性愛やＬＧＢＴについてきちんと理解しておらず、大昔と同じように考えている。それなのに、この法律は正しい知識を人々に与えることを禁止した。状況はさらに悪くなってしまうでしょう」

## 「チェチェンにゲイは存在しない」

トゥマソフの懸念通りに事態は推移している。例えば、欧米諸国や日本で毎年行われている「プライド・パレード」のようなＬＧＢＴＱの街頭行動はロシアでは監視や取り締まりの対象とされ、その警戒にはコサックも動員されている。二〇二〇年の憲法改正によって同性愛者同士の結婚は明確に禁じられた。

ロシア国内で性的少数者にとって最も深刻な状況にあるのがチェチェンだ。イスラム圏のチェチェンでは元から同性愛に非寛容な文化があったとされるが、カディロフの登場以来、弾圧の度合いは増している。このテーマでも独立系の『ノーヴァヤ・ガゼータ』紙が実態を粘り強く伝えている。一七年四月には、チェチェンで同性愛者やその疑いをかけられた男性一〇〇人以上が拘束され、拷問で少なくとも三人の死者が出た事実を報じた。一斉拘束の発端は薬物中毒の男性が拘束されたことだった。男性の携帯電話に同性愛関連の写真や動画と共に地元の同性愛者数十人の連絡先が保存されていたためだ。拘束された中には地元テレビ局の司会者やカディロフ体制に近い宗教家も含まれていたという。

例によってチェチェン当局は報道内容を全否定した。だが、その否定の仕方こそが厳しい弾圧を示唆するものだった。「チェチェン人の中にも同性愛者は存在する」という客観的事実を否定したのである。カディロフはこの年の七月、米国のテレビ局ＨＢＯによるインタビューで弾圧問題について尋ねられると「全部でたらめだ。チェチェンにはゲイなど一切存在しない。もしいるならば、血を清めるために私たちから遠く離れたカナダへ連れて行ってほしい」と言い放った。そして、チェチェンのＬＧＢＴＱに関する問題を追及するジャーナリストや活動家を「彼らは悪魔だ。人間ではない」と罵った。

『ノーヴァヤ・ガゼータ』紙は実際に拘束された人々の証言を基に続報を打った。それによると、チェチェン中部アルグンに秘密の拘束施設があり、殴打や電流による拷問が行われていた。他の同性愛者の名前や連絡先を引き出すのが目的という。〈チェチェンでは、どんな罪で拘束されていようと生きるチャンスはあるが、同性愛者は違う。特定の性的指向が公になるや否や、チェチェン社会では生きていく権利を失う〉。記事はこう綴り、拘束からの解放後に親族から恥とみなされ、「名誉殺人」の対象となるケースが起きていると指摘した。

同様の一斉拘束は一九年にも報じられ、再び数十人が拘束されたとみられる。ロシアの人権活動家グループはチェチェンの同性愛者百数十人の域外脱出を支援した。また、二一年六月には、隣のダゲスタン共和国の女性専用保護施設に逃れていた若いチェチェン人女性がチェチェンの治安部隊に拉致されるという事件も起きた。彼女は同性愛者で、家族から迫害される危険を感じていたという。父親はカディロフとの近い関係で知られるチェチェン共和国高官だ。チェチェンではもはやLGBTQやそう疑われた人々が静かに暮らすことさえ難しくなっている。

こうしたカディロフ体制下における人権抑圧が前例となり、連邦中央のプーチン政権に影響を与える可能性がある。あり得る機序は、本章冒頭で仮説として提示したプロセスだ。カディロフツィの行動がロシア中央の治安機関へ与える刺激、そしてチェチェンの状況を伝えるメディアを通した世論への影響。チェチェンの動きがロシア全体の人権を巡る「しきい値」を低下させていくことが強く懸念される。

# 終章　ポスト・プーチンと「火薬庫」チェチェン

「チェチェン化」するロシアが遠くない将来に直面する重大な課題がある。決して避けられないそれは、ポスト・プーチンという難題だ。本章では、高齢化しつつあるプーチンの去就とロシアの将来、そこに絡むチェチェンについて考えたい。ポスト・プーチン時代の足音は、国際社会にとっても看過できないリスク要因だ。

## プーチンの爆弾発言

——ウラジーミル・ウラジーミロヴィチ、憲法改正の機が熟したとはお考えになりませんでしょうか？　もしそうなら、改正すべきはどの条項でしょうか。それと、もう一つ。数日後には、あなたが統治を開始してから満二〇年になります。議会や政府、さらには大統領の権限を再配分するといった変更を行う必要性についてはどうお考えでしょうか？

二〇一九年一二月一九日、モスクワの会議場。年末恒例となっているプーチンの大規模記者会見で、国営ロシア通信の女性記者が統治システムの改変に関する直球の質問を投げかけた。プーチンは九九年一二月三一日に当時の現職エリツィンの任命で大統領代行に就任し、翌〇〇年三月の大統領選で初当選した。以来、実質的に最高権力を握り続けている。記者の踏み込んだ質問に対する回答が内外のロシア・ウオッチャーをざわつかせることとなる。

プーチンは次のように口火を切った。「憲法は生きた道具であり、社会発展のレベルに対応している必要があります。しかし、新憲法の採択などはすべきではない。憲法の根本は変えてはならない。それ以外は基本的に修正を加えることは可能です。私はもちろん、（憲法改正に関する）議論があることは知っている。提案の論理も理解している。それは議会の権利を拡大したり、大統領と政府の大権にいくらかの修正を加えたりといったものだ。だが、これらの修正は十分な準備と社会における深い議論を経た後にのみ、非常に慎重に行うことができる」

国立レニングラード大学（現サンクトペテルブルグ大学）法学部を卒業し、「ユリスト（法律家）」を自認するプーチンは慣れた口調で憲法を語る。そして、続く発言が憶測を呼ぶニュースとなった。

「……以前に為された改正について言えば、それらは（大統領の）任期の回数に関係していたはずです。こうした回数に関して何ができ得るでしょう？　『連続』という付帯条件を取りやめるとか。我が国では（大統領の多選の上限は）連続二期です。皆さんの恭順なる公僕は大統領職を二期（連続で）務め上げた後にこの職から離れると、再び大統領に復帰する憲法上の権利を持つ。なぜなら（一度離職すれば）連続二期ではなくなるからです。この付帯条件は廃止してもよいかもしれない」

少し解説が必要だろう。プーチンは〇〇年に初めて大統領に就任し、〇四年に再選を果たす。連続三選を禁じる憲法の規定に則り、〇〇年から〇八年まで連続二期八年（当時は一期が四年間）を務めた後、いったん、国のトップから退いた。〇八年の大統領選には第一副首相だった腹心のドミトリー・メドヴェージェフが代わって出馬し、当選した。プーチンはその下で首相に転じ、実権を握り続ける。メドヴェージェフの一期四年が終わると、一二年の大統領選で再びプーチンが出馬して当選を果たす。改憲で大統領の任期は六年間に変更されており、続く一八年の大統領選も制した。これで通算四選となり、二回目の連続二期目に入ったのである。

憲法の規定が変わらなければ、次回の二四年選挙は再び誰かに席を譲る必要がある。その場合はプーチンが大統領に戻れるチャンスは六年後の二〇三〇年春の選挙となり、本人は七七歳と相当の高齢になる。一方、プーチンが会見で言及した通りに、憲法の「連続在任は二期まで」

という規定から「連続」の文言を削除した場合、大統領在任は「通算二期まで」となり、プーチンは二度と大統領を務めることができなくなる。

こうした背景を踏まえ、ロシア内外のメディアは記者会見でのプーチンの発言が自身の去就を示唆するものと受け止めた。「二四年の任期満了とともに大統領職を退く」意思が暗に示されたという理解が一般的だった。これがロシアに再び訪れた「内政の季節」の序章となる。

## ロシア内政の激動

プーチン政権二〇年となる二〇二〇年は年初からロシア内政で目立つ動きが相次いだ。一月一五日、首相のメドヴェージェフ率いる内閣が総辞職する。プーチンは新首相に連邦税務局長官を長年務めた経済専門家ミハイル・ミシュスチンを指名した。メドヴェージェフについては、外交や国防など国家の重要課題を扱う連邦安全保障会議の「副議長」という新ポストへ処遇した。国民から不人気の側近を異動させ、無名の能吏を抜擢した形だ。

同じ一五日、プーチンは議会への年次報告演説を行う。「ロシアは強力な大統領制の共和国であり続けなければならない。しかし、もう一歩踏み込んで、権力のバランスを整えることが必要だと思う」と政治改革の必要性を訴えた。

プーチンが演説で具体的な提案として打ち出したのが、大統領の諮問機関「国家評議会」や連邦議会の権限強化だ。国家評議会は〇〇年に設置され、州知事ら全国の連邦構成体の首長がメンバーだが、かなりマイナーな国家機関といえる。プーチンはこれについて「ロシアは巨大な国であり、連邦レベルの意思決定において知事らの役割を根本的に高める必要がある。国家評議会の適切な地位と役割を憲法に明記することが適切ではないか」と提起した。下院については「連邦議会は組閣に対してより大きな責任を負う用意があると確信している」と前置きし、「大統領による首相任命の同意ではなく承認を下院に委ね、副首相や閣僚の承認も委ねることを提案します」と訴えた。会場は一斉の拍手で賛意を示した。

大統領職についても注目の発言があった。「同一人物が連続二期を超えて大統領を務めてはならないという憲法の規定が世の中で議論されていることも知っています。これが本質的な問題とは思わないが、それには賛成です」。やや婉曲《えんきょく》な表現だが、年末記者会見で「連続二期まで」という憲法上の規定から「連続」を削って「通算二期まで」とする案に前向きな姿勢を見せていたことを考慮すれば、同じ見解をより公的な場で繰り返したと理解できた。

三日後の一月一八日、第二次大戦で戦った高齢の退役軍人らとプーチンがサンクトペテルブルグで会談した際にもこの話題が出た。参加者の一人から、大統領の任期を制限する憲法規定を撤廃するよう懇願されたのに対し、プーチンは「歴代の国家指導者が権力移譲に必要な条件を整えないまま、死を迎える最後の日まで権力の座にとどまった一九八〇年代半ばの状況に戻ってしまうのは、非常に憂慮すべきことと思います」と諭すように語った。ソ連時代後期にブレジネフ、アンドロポフ、チェルネンコと高齢の指導者が八五年のゴルバチョフの登場まで三代続き、停滞感が強まったのは確かだ。

これら一連の発言によって、プーチンが二四年の大統領退任後に下院議長や国家評議会議長といった役職へ席を移して「院政」を敷くのではないかという予測が広がる。大統領の多選を禁じた憲法の規定を強化する姿勢を見せつつ、事実上の最高権力は握り続けるというシナリオだ。

プーチンの提案を受けて、ロシア政府は憲法改正へ向けた作業に突き進んだ。議会演説から五日後の一月二〇日、プーチンは早くも改憲案を下院に提出する。この法案では、焦点の国家評議会について「連邦政府機関の機能の調和と相互作用を確保するため、内政・外交政策の主要な方向性と社会・経済発展の優先的な方向性を定める」と規定した。政府の上にある司令塔のようなイメージだ。改憲後の評議会を牛耳れば、大統領職を離れても国家権力を握り続けることができそうだ。また、注目された大統領の任期についても、現行の「連続二期まで」という規定から「連続」の文言を削除した。これまでのプーチンの主張に沿った改正案だ。下院の権限強化も盛り込まれた。プーチンは将来、国家評議会の議長となり院政へ移行する――との見立てがおおむね妥当とみられた。

## 「終身大統領」にかじを切ったプーチン

ところが三月に入って、プーチンは「ちゃぶ台」を見事にひっくり返す。その前触れは、三月六日に西部イワノヴォ州の視察で行った市民代表との対話に現れていた。ある女性から、大統領退任後に国家評議会や安保会議の議長へ転じる可能性や、自身の大統領任期の延長を拒む理由を問われると次のように答えた。

「どんな人でも私のような立場になったら、仕事というより運命だと思うでしょう。私はそのように受け止めている」。プーチンはこう口にして話を進めた。「私たちが提議している憲法改正は五年、一〇年先ではなく、少なくとも三〇年、五〇年先を見据えたものです。将来のために必要なもので、現在のことではない。今は、安定や平穏裏の国家発展がより重要です。しかし将来、国がもう少し自信を持てるようになったら、その時には間違いなく権力継承の保障が必要なのです」

驚くべき発言だ。「権力継承の保障」とは、まさに多選制限の厳格化を意味する。一月の演説では「今日、社会に明確な変化が求められている。権力のバランスを整えることが必要だ」

と即時の政治改革を訴えていたにもかかわらず、こと大統領の多選制限に関する憲法改正案はあくまで「数十年先のため」という。どうやら雲行きが変わってきた。ただ、次のように言い添えた。「いま憲法から義務的な交換可能性（＝多選禁止条項）を削除するというのはどうも好きではない」

国家評議会議長への横滑り案に対する問いにはこう答えている。「それは二重権力状態を意味し、ロシアにとって間違いなく破壊的な状況になるでしょう。国を滅ぼすような権力の図式へ移行することはしたくない」。院政は目指していないことをはっきりさせた。多選制限の厳格化は「将来のため」としつつ、自身の続投にも気が進まないという姿勢を見せ、院政は完全否定する。かといって後継者への権力移譲に触れるわけでもない。それでは一体、二四年の任期満了後、どうするつもりなのか。四日後の三月一〇日、プーチンの意図するところが半ば明確になる。

この日、ロシア下院では議員のヴァレンチナ・テレシコワが憲法改正の修正案を突如、提案した。彼女はソ連時代に世界初の女性宇宙飛行士として名を馳せた人物である。その内容は「多選禁止条項の削除」または「大統領が過去に務めた任期は、新憲法施行後は計算に入れない」というものだ。いずれかの案が実現すれば、連続二期目、通算では四期目に入ったプーチンは二四年に再選を目指すことが可能になる。テレシコワは「世の状況が必要とし、人々が望むのであれば、現職大統領が再選できる可能性を規定すべきだ」と訴えた。彼女は与党・統一ロシアに所属する。単なる一議員の発案と受け止めるのはナイーブに過ぎるだろう。

テレシコワの提案から休憩を挟んだ後、プーチンが下院で演説に立った。新型コロナウイルスの感染拡大、原油価格と通貨ルーブルの暴落、こうした世界変動によってロシアを取り巻く環境が厳しくなっていることをまず強調し、話は核心部分へ進む。

「私は、強力な大統領制の垂直機構はロシアにとって絶対不可欠と深く確信しています。何よりも安定のために必要だ。安全保障会議や国家評議会のような国民の直接選挙を経ていない政府機関へ大統領の重要な権限を分与することは間違っているし、危険だと思います。これは必然的に二重権力と社会の分裂を招き、国家の運命と国民の生活に悲劇的な影響を与えることになり得る。これはやめましょう」。まずは改めて院政を否定した。

続けて焦点の多選禁止条項について言及を始める。「尊敬すべきテレシコワ議員の提案の一つ目は、大統領の任期を制限する条項を憲法から削除することである。先日のペテルブルグでの会合でも、退役軍人から同じような意見が出ていた。その時には私はソ連時代には戻りたくないと言いました。隠さずに言いますが、これは誤った発言でした。なぜなら、ソ連時代には選挙は一切なく、全てが秘密裏に、あるいは党内の手続きや陰謀の結果として決定されていたからです。今は状況が全く違います。選挙に行かなければなりません」

自らの発言を「誤りだった」と取り消し、方向転換を鮮明にした。

「国家がこのような激動期、困難な条件下にあるとき、安定性はより重要であり、優先されるべきです。私たちの場合、ソ連崩壊後の全てを克服したとは言えない。しかし、政治、経済、社会が内的な安定と成熟を獲得し、国家の力が強くなったときには、まさに権力交代の可能性が出てきます。それは国の発展の原動力に必要なものです」

話はまだ終わらない。「我々は二〇年から五〇年といった歴史的観点で憲法改正しようとしているのではないか。こうした長期的視点に立てば、定期的な政権交代は社会に保障されてしかるべきだ。よって、憲法から大統領任期を制限する条項を削除するのは賢明ではないと私は考える」。これはテレシコワの提案の一つ目への回答だ。「二つ目の提案は、現大統領を含む全ての市民の制限を撤廃し、将来の選挙への参加を許可することを意味する。うーん、もちろん国民はそのような修正案を支持する場合にのみ、（改憲の是非を問う）四月の全国投票で賛成票を投じるでしょう」

「現大統領を含む全ての市民」と言うが、多選規定が問題になり得る対象はプーチンかメドヴェージェフしかいない。長い弁明だったが結局のところ、プーチンは年初に示した態度を一変させ、自身については特例として大統領の任期制限、つまり多選禁止条項を甘くする憲法改正・修正案に賛同する考えを表明した。ロシアは未だ不安定な時期にあるとアピールし、仮に再選を目指してもソ連時代と違って選挙の洗礼があること、改憲自体も全国投票に付すことを強調し、最後に「修正案の合憲性について憲法裁判所の承認を得られれば」という一応の留保も付けた。

不安定ということで言えば、この二〇二〇年は変化の激しい特殊な年だったのは確かだ。中国に端を発した新型コロナウイルスの感染は瞬く間に世界へ広がり、三月一一日には世界保健機関（WHO）が「パンデミック（世界的大流行）」を宣言するに至る。ロシアは米国などに次いで世界有数の感染者を抱えた。原油価格の低迷は続き、ルーブルも下落した。しかしである。プーチンは二〇年間にわたってロシアを率い、祖国を復活させたことを誇ってきたはずだ。コロナ禍が発生したとはいえ、一月時点では「大統領の任期は通算二期まで」とする憲法改正案を是としておきながら、たった二カ月で「終身大統領制」に近似した長期在任を可能にする方向へ急旋回したのである。

プーチンがゴーサインを出した以上、関係機関の動きは素早かった。憲法裁判所は三月一六日、憲法改正案を承認する。最終案では、大統領の任期について現行の「連続二期まで」とする規定を「二期（通算一二年）を超えない」と変更した。プーチンの説明に即せばこれは「長期的な将来のため」である。同時に、新憲法発効時までの大統領の任期は算入しないという、抜け穴的な規定が付された。これによってプーチンの二四年再出馬は可能になり、連続当選すれば二〇三六年まで大統領を務められることになった。任期満了時には八三歳になる計算だ。退任後には終身上院議員の地位を与え、不逮捕特権を保障するという「保険」まで付けた。

改憲案には、下院と国家評議会の権限強化、自国領の割譲禁止、国際法に対するロシア憲法の優先といった規定が加えられ、同性婚の排除など「伝統的な家族の価値観」を重視する条項も盛り込まれた。全般的にプーチン政権の愛国路線、国家主義的な路線を強化する内容だ。国民に賛否を問う全国投票は四月二二日に設定された。改憲案は上下両院で三月一一日に可決されており、本来の手続き上、投票は不要だが、国民の賛同によって改憲の正統性を高める狙いがあるとみられる。

だが、ロシア国内における新型コロナウイルスの感染拡大で目算が狂い、全国投票は延期となった。五月七日にプーチンは〇〇年の大統領初就任から二〇年の節目を迎えたが、その二日後の対独戦勝七五周年式典も延期に追い込まれた。政府はコロナ対策と経済維持の両立に苦戦し、国民の不満が高まっていく。独立系の世論調査機関「レヴァダ・センター」による四月のプーチン支持率は五九％と○○年の就任以降で最低にまで落ち込んだ。

それでも、投票日は七月一日に再設定され、改憲の最終段階へ向けた準備は粛々と進んでいく。プーチンは直前の六月下旬には国営テレビのインタビューで、次期大統領選について「改憲されれば出馬する可能性を排除しない。まだ何も決めていない」と初めて言及する。改憲の意義については、「もし（自身の再選を可能にする）修正が無ければ、私は自分の経験から知っているのだが、あと二年も経つと通常のリズムでの業務の代わりに、政権内でキョロキョロと後継者候補探しが始まるだろう。後継者探しではなく、仕事をしなくてはいけない」と主張した。自らの出馬という選択肢を残すことで、国家中枢における動揺を排除するという説明だ。ただ、身を引く意思があるならば、いつかは後継者探し、後継者育成に本格着手する必要があるはずだ。秘密裏に後継者を決めた上で突然職を辞するというのだろうか。「ロシアはまだ不安定だ」と言い続けて、いつまでも権力に執着する将来も否定はできない。院政について「危険な二重権力」と否定した主張も、自身がそれを必要とする時が来ればあっさり翻すのではないか。

六月二四日、モスクワなどロシア各地で対独戦勝七五年を記念する軍事パレードが予定より一カ月半遅れで実施される。コロナ禍の中でも愛国ムードを喚起した上で、翌二五日から改憲全国投票の期日前投票が始まった。投票方法には政権の「ごり押し」姿勢が現れていた。改憲案には、年金受給額や最低賃金の調整という国民生活に直結する項目など様々な内容が盛り込まれているのに、投票では全項目まとめて「イエス」か「ノー」を意思表示するおおざっぱな方式が採用された。「高い割合での賛成」という結果をとにかく得ようという意図があからさまだ。投票最終日の七月一日、即日開票された結果は投票率六七・九七％、賛成票が七七・九二％となった。専門家や民主派の一部からは大規模な不正を疑う声も上がったが大きくは広がらず、プーチン政権のさらなる長期化に道を開く改憲が成立した。

ちなみにチェチェン共和国では、賛成九八％という結果が発表されている。毎度の選挙において異常に高い得票率で政権側が圧勝する慣例が繰り返された。カディロフは投票期間中に住民へのメッセージを発している。「我々はウラジーミル・プーチン氏を終身大統領に選出する必要がある。今日、誰が彼の代わりになり得るだろうか。世界的に見てもそのような政治指導者はいない。我々はそれを誇りに思うべきだ」

## プーチンの「恐怖」と「安定」の代償

なぜプーチンは態度を一変させ、改憲で事実上の終身大統領制へと一歩を踏み出したのか。そして、それは何を意味するのか。ロシア専門家の論評をいくつか見てみたい。

〈プーチン政権支持者でさえ後継者探しの始まりと解釈していた改憲プロセスは巨大な偽装だったことが判明した〉。カーネギー国際平和財団モスクワセンターの上級研究員アレクサンドル・バウノフは「ペレストロイカの危険性」と題した論考（二〇年七月）でこう断定し、〈プーチンの派手な心変わりはロシアの政治エリート層との思わぬ緊張関係を生み出した。彼らは二四年以降、プーチンが大統領にならず、自分たちが集団的に権力を維持できる世界を見込んでいた〉とまず指摘した。プーチンが院政の可能性を退けた理由については、メドヴェージェフが大統領、自身が首相だった「タンデム（二人乗り）」時代の経験が作用したとみる。当時、外交政策の決定など部分的に「二重権力」状態が発生し、ロシアが欧米につけこまれる隙を生んだという。第五章で触れたリビアをめぐる国連安保理決議がその代表例だ。プーチンは同じ轍《てつ》を踏むのは避けたいと考えた、とバウノフは分析する。そして、〈プーチンは国内的にも地政学的にも最も安全な選択肢と自らが考えるものを選ぶことでロシアに新たな停滞期を強い、それによって彼が避けたいペレストロイカの無意識のゴッドファーザー（洗礼親）になる可能性がある〉と結んだ。ロシア国民が求めるようになった政治や社会の改革を避け続けることで、逆に将来大きな変革の荒波を生みかねないとの見方だ。

同じカーネギー・モスクワセンターの客員研究員タチヤナ・スタノヴァヤも、同時期の論考で〈プーチンが改憲投票によって大統領任期を更新することは、自身の側近たちへの挑戦であり、ロシアの変化する現実への拒絶だ〉と見る。プーチンにとって、政治エリートたちによる後継候補探しは「恐怖」であり、周囲への不信感の高まりゆえに改憲投票で国民の賛同を得ようと計画したと推測する。彼女は別の論考（二〇年五月）では、「シロヴィキ」「オリガルヒ」「プーチンの友人」などの各グループ、さらにその分派にと分かれているロシアのエリートたちが、お互いに〈影響力、富、イデオロギーをめぐって争っている〉とロシアの権力構造を解説し、〈プーチンは競合するグループ間の仲裁役を好んで演じてきたが、今ではそれがほとんど見られなくなった〉と内なる変化を論じていた。プーチンによるさらなる長期政権化の動きについては、〈政治エリート層を落ち着かせ、政権移行の問題を棚上げにしようという今回の試みは逆効果で、不確実性を高めるだけだ〉と予測する。政権に批判的な二人の識者はともに、自身の治世を延ばすことで国の安定を図るプーチンの試みは将来に禍根を残すとみる。

改憲をめぐる動きの前に書かれた論考も参照したい。米有力紙『ワシントン・ポスト』のモスクワ支局長などを歴任したジャーナリスト、スーザン・グラッサーは端的に〈プーチンにはこれという後継者がいない。ロシア政治の研究者たちは、治安機関とビジネス・エリート層の間での内紛増加を報告している。ポスト・プーチンのロシアへ向けた壮大な権力抗争は既に始まっているとみなすこともできるようだ〉と一九年秋に米外交誌で指摘していた。〈プーチンの内外における政治的決定の多くは、彼の政権および彼自身の生き残りだけを目的にしている。（中略）プーチンにとって、国家目標は二〇年前に大統領に就任したときと同じままだ。自身の就任前のロシアのような大混乱がないことである〉。グラッサーはこのようにロシア内政の要点を説く。

「安定」を求めるがゆえに、中長期的には激変や権力抗争、混乱をもたらしかねない選択をしてしまうというプーチンのパラドックス。ゴルバチョフも言及していたこの仮説が正しければ、ロシアは将来いつ破裂するか分からない時限爆弾を抱えているようなものだ。私の見方は上記の論者たちとかなり重なるが、一部で異なる。プーチンが混乱の対極である安定を非常に重視しているのは間違いないだろう。同時に、「自分でなければ現代のロシアは統治できない」という天命との認識に近い強い自負も抱き続けている。そう私はにらむ。二〇年三月に西部イワノヴォ州の会合で「私のような立場になったら、仕事というよりも運命だと思うでしょう」とプーチンがぽろっと語ったのは、この自負心の発露だろう。ただ、強い使命感を抱く「政治指導者＝ステイツマン」としてのプーチンがいる半面、「政治屋＝ポリティシャン」としてのプーチンも同時に存在する。先のグラッサーは「自身の攻撃的な外交政策によって国がさらに孤立する中、巨万の資産を築くための（国富からの）略奪行為にプーチン自身も参加している」と政権の構造的な汚職体質を指弾している。

ロシアの安定を維持すること、利権構造を堅持すること、権力グループ間のバランスをとること——。プーチンを中心とするロシア政治は今やがんじがらめになって、きしみを上げているように見える。この構図について、慶應義塾大学教授の大串敦は〈ほぼ無名の存在から首相、そして大統領に就任したプーチン氏は当初、有力な地方知事らの動員力に頼って選挙を戦っていた。しかし、プーチン氏への支持が高まるにつれ、周りのエリートたちが逆にその力に依存するようになった。仮にプーチン氏個人が辞めたくても、安定を維持するためには辞めてほしくないという人がたくさん出てきたように思える〉と流れを解釈し、改憲については〈プーチン氏が今いなくなれば、エリートの間で後継者争いが激化しかねず、相互の安全を守る意味からも早期の退任を防ぎたかったのかもしれない〉と推測した（『毎日新聞』二〇二〇年五月六日付「論点」）。

カーネギーの二人と大串の推論とは政治エリートの思惑に関する見方で全く異なるが、こう考えてみてはどうか。政治エリートたちにとって権力の中枢としてプーチンが果たす機能はこれまで極めて重要だった。だが、今や同じことができる後継者または集団統治の形を見いだせれば中長期的にはその方が良い（なぜならプーチンはやがて年老い、いつか死を迎える）。後継の姿が固まるまでは「プーチンに頑張ってもらいたい」という一派もいれば、それに反発する一派もいる――と。スタノヴァヤが説くようにロシアのエリート層はグループごとに競合しており、将来への志向も一枚岩と見ない方が正しいのではないか。

一方のプーチンの側からすると、二四年に大統領を退任する可能性を示唆した一九年一二月以降、政治エリートの一部の間で早くも後継者探しの動きが現れたのを察知したのではないか。国営テレビのインタビューで「後継者探しではなく、仕事をしなくてはいけない」と強調したのは、そのことを示唆しているように見える。プーチンは国家の安定と自身の安全とが共に脅かされる可能性に背筋が寒くなる思いをし、急きょ「終身大統領制」を可能とする改憲を推し進めた。そんな風に想像できる。ただ、ロシア全体にとっては、〈仮にプーチン氏が二四年以降も続投しても、高齢になるにつれ、次世代のエリートへ権力をスムーズに移譲するのは難しくなるだろう〉との大串の警鐘が重くのしかかる。

思い返せば、プーチン政権二〇年のうち、〇〇年から一二年まではロシア経済の屋台骨である原油価格がほぼ右肩上がりで上昇を続ける幸福な時代だった。エネルギー資源の輸出から得られた富で国を強くし、国民を貧窮から救い、仲間内で分配することができた。だが、原油価格は一三年から下落基調に転じる。その背景には、米国でのシェールオイルの採掘増加や再生可能エネルギーの利用拡大などがある。今後、電気自動車の普及も進む見通しだ。かつてのような原油高騰はこの先はあり得ないと考えられている。

富の分配というアメで国民の歓心を買えなくなったプーチン政権は、クリミア編入を強行した一四年ごろから愛国心の高揚と市民社会の抑圧の二本柱で国の安定を維持する姿勢を強めている。記者の逮捕といったメディア弾圧は相次ぎ、二〇年七月には極東ハバロフスク地方の野党知事が過去の殺人事件に関与したとの疑いで拘束される事件も起きた。それぞれ社会からは反発も出ており、安定のほころびは隠しようがない。プーチン長期政権のさらなる強権化、先に提起した表現で言えばロシアの「チェチェン化」は、その実、弱さのあらわれと見るべきだ。

## 「火薬庫」チェチェン

そしてチェチェンである。ロシアの政治エリート層の中で、「プーチンに大統領を辞めてほしくない」代表的な一人は間違いなくラムザン・カディロフだ。逆に、そのカディロフのチェチェンはプーチンにとって「簡単に辞められない理由」の一つでもあるだろう。ロシア中央とチェチェン共和国の関係は二人の個人的な紐帯が要となっているからだ。そこに危うさがつきまとう。

「チェチェンに創設された地方軍は現代ロシアで最も戦闘能力の高い軍事集団であろう」。民主派の野党政治家イリヤ・ヤシンは一六年二月に公表した報告書でこう指摘した。すなわちカディロフツィのことである。三万とも四万とも言われるメンバーの一部は、チェチェン反体制派から転向した元山岳ゲリラで実戦経験を持つ。ヤシンは専門家の報告を基に「彼らの大部分は連邦内務省の職員だが、チェチェン首長にのみ忠誠を誓っている」と警鐘を鳴らす。プーチン政権は、数ある連邦構成体の中でチェチェンにだけ地元の単一民族で構成する地方軍事組織の存在を許してきた。チェチェンには世界最大をうたう特殊部隊養成施設もある。

カディロフは、ウクライナ危機で欧米との対立が深まった一四年の年末、グロズヌイの競技場に軍事訓練を受けた約二万人の「志願兵」を動員し、内外に示威したことがある。

「プーチン大統領は一五年もの間、国民を助けてきた。今こそ、特別訓練を受けたこの要員を直属の義勇特殊部隊とみなしていただきたい。我々はどんな困難な軍事作戦も遂行する準備ができている。ロシア国民は指導者プーチン氏を中心に団結した。チェチェン人民はこの団結の中心的な位置の一つを占めている」。カディロフがこう演説して最後に「アラーアクバル！（神は偉大なり）」と叫ぶと、戦闘服の集団が「アラーアクバル！」と連呼して応えた。

チェチェンの軍人たちはシリア内戦への派遣でも実戦経験を積んでいる。カディロフと傘下の彼らがプーチンに忠誠を誓っているうちは良いが、ロシアのトップが交代したらどうなるか。新たな関係が結ばれるかが焦点となる。もし失敗すれば、独自の軍事力を持ったチェチェンという「火薬庫」の扉が再び開くかもしれない。

チェチェンに関してはいくつか不穏な動きがある。その一つは領域拡張だ。カディロフは一八年、西隣のイングーシ共和国の首長に領域の約一〇％を譲渡させることに成功する。両共和国間でもともと係争のあった土地だが、裏で圧力をかけた可能性が指摘されている。イングーシの住民は反発して抗議デモを行ったが、最終的に憲法裁判所が譲渡を承認してしまった。チェチェンの議会はこの年、東隣のダゲスタン共和国の一部も自分たちの領域とする地図を発表し、さらなる野心を示した。

チェチェンの権力内部における縁故主義的な動きが活発化していることにも注意が必要だ。一九年には中部アルグンのベテラン市長が更迭され、カディロフの親族男性が二九歳の若さで後任となる出来事があった。カディロフの長女アイシャトは二〇年九月に共和国の第一副文化相に任命されている。彼女はこの時点で二一歳だ。英公共放送ＢＢＣ（ロシア語電子版）が一八年に実施したチェチェン公務員一五八人の身元調査によると、全体の三〇％がカディロフの親族、二三％が同郷者、一二％がカディロフの友人やその家族だった。六割以上が縁故採用である。機会不平等に対する社会の不満は溜まっていくだろう。

第五章で述べたように、チェチェンを狙ったテロが再び増加するおそれもある。二〇年一〇月には首都グロズヌイで潜伏中の武装グループが治安部隊に包囲され、双方の銃撃戦に発展してグループの四人全員が死亡、治安部隊側も二人が殺害された。カディロフは「こうした悪魔たちはロシアを離れてシリアなどに潜伏していたが、西側のスポンサーの指令を受けてテロ攻撃のために戻ってきた」とSNSへ書き込んだ。実際にシリアから戻ってきた勢力かは不明だが、ISなどのイスラム過激派が中東で退潮する中、地元出身の過激派の矛先がチェチェンに向かっていることは間違いない。

## 深まるロシアの内憂外患

プーチンにとって、政権掌握二〇年からさらに先へ進む節目となる二〇二〇年は、ロシアの内憂外患が深まる一年になった。新型コロナウイルスの感染が何万もの命を奪い、エネルギー資源依存型の経済を深く傷つけた。だが、問題はコロナだけではない。

七月、極東ハバロフスク地方の現職知事セルゲイ・フルガル(体制内野党の自由民主党所属)を十数年前の殺人に関与したとの容疑で拘束した事件(前述)は地元住民の怒りを呼び、現地では大規模デモが長期化する。各種選挙において与党・統一ロシアが圧勝し、政治的安定が確保されるという「方程式」は崩れ始めている。

八月、反プーチン勢力の中心となってきた四〇代の活動家アレクセイ・ナヴァリヌイが飛行機で国内移動中に意識を失う。治療を受け入れたドイツをはじめとした欧州諸国は、ソ連で開発された猛毒の神経剤「ノビチョク」による毒殺未遂事件とほぼ断定する。ロシア政府は関与を認めなかったが、欧州連合（EU）と英国はロシア連邦保安庁（FSB）などが実行したとみて制裁を科し、欧米とロシアの関係は一層険悪化した。

ナヴァリヌイは、閣僚らの汚職の実態を暴露してきたほか、近年は「スマート投票」と呼ばれる選挙戦略にも乗り出している。統一ロシア所属以外の有力候補への投票を呼びかける手法で、一定の成果を上げている。プーチン政権にとって排除したい人物であることは間違いない。こうした暗殺の試みは頻発しており、ロシアへの視線は厳しさを増す。英国でも一八年に元二重スパイのロシア人男性セルゲイ・スクリパリらが意識不明になる事件が起き、ノビチョクが検出された。ロシアの全否定はすでに通用しなくなっている。

ロシアが影響圏とみなす旧ソ連諸国での異変も相次ぐ。同じスラヴ系の友邦ベラルーシでは、長期独裁政権を築いた大統領アレクサンドル・ルカシェンコに国民の多くが「ノー」を突きつけた。八月の大統領選後、退陣を求めるデモが粘り強く続いた。「カラー革命」を常に恐れるプーチンはルカシェンコ支持の立場を鮮明にしたが、この賭けによってベラルーシ市民の親露感情を失う可能性がある。一一月、モルドヴァの大統領選では親露派の現職イーゴル・ドドンが欧州寄りの前首相マイア・サンドゥに敗れた。

国際社会においては、プーチンへの親近感を隠さなかったドナルド・トランプが一一月の米大統領選で敗れ、中国とロシアに厳しい立場を取るジョー・バイデンが当選した。

広場を埋め尽くすデモの人波、叫ばれる反政権のスローガン、力で抑え込もうとする治安部隊、そして両者の衝突――。二一年に入ってもロシアは揺れている。一月下旬にロシア各地で大規模デモが起きたのである。一月半ばにドイツから帰国した反体制活動家ナヴァリヌイが逮捕されたことが直接のきっかけだ。過去の執行猶予付き判決の猶予条件違反などが逮捕理由だった。

これに対抗してナヴァリヌイ陣営は用意していた暴露動画をYouTubeで公開する。プーチンが黒海沿岸に巨大宮殿を密かに所有しているという、現地取材も含んだ調査報道的な内容だ。再生回数は一〇日ほどで一億回を超えた。そして、一月二三日にナヴァリヌイの釈放を求めるデモがロシア全土の一二〇都市以上で実施された。モスクワでの参加者は約四万人と推計されている。無許可のデモは同三一日にも各地で繰り返された。参加者はそれぞれ全国で三〇万人近くに上ったとナヴァリヌイ陣営は主張する。

プーチン体制下のデモといえば、これまではモスクワと旧都サンクトペテルブルグの二大都市が中心だった。一〇〇都市以上で一度に抗議集会が開かれるのは「今回が初めて」(英BBCロシア語版)という。プーチン政権の腐敗体質や抑圧的な体制を変えたいという積年の思いや、経済難への不満がデモ参加者を突き動かしたという分析が有力だ。ただ、政権側はデモを淡々とつぶしにかかった。治安部隊を投入して全国で一万人以上を拘束した。ナヴァリヌイ本人は刑務所へ収監されてしまった。

さらに、二一年六月には、モスクワ市裁判所がナヴァリヌイの設立した「反汚職基金」など三団体を〝過激派組織〟に指定し、解散命令を出した。これでナヴァリヌイ陣営の国内での政治活動はほぼ封じ込まれた。体制の安定のためには手段を選ばないプーチン政権の強硬姿勢が加速している。

## 未だ少数派のデモ支持層

反体制のデモが大規模化、広域化しているとはいえ、ロシア全体に対するそのインパクトは一体どの程度のものなのだろうか。ポスト・プーチンを見通すための重要な論点である、国民の支持率という視角から考えてみよう。

二一年一月の大規模デモを理解する補助線を引くため、まずロシアにおけるメディアの位置づけを確認したい。日本の約四五倍という世界一の国土を誇るロシアはとにかく広い。人口約一億四六〇〇万人のうち一二〇〇万人のモスクワ、約五〇〇万人のサンクトペテルブルグを含む欧州部に約一億六〇〇〇万人が暮らすほか、シベリア地域には約三一〇〇万人、極東地域には約六〇〇万人が住んでいる。合計約一億四六〇〇万人の人口がかなり分散している。各地に散らばったロシア国民をつなげるメディアこそ、テレビである。特に地方の中高年層にとって情報源としてテレビの位置づけは大きい。そして、現在のロシアではほぼ全てのテレビ局が政府系だ。

独立系世論調査機関レヴァダ・センターの調査結果によると、「あなたにとって国内外のニュースの主たる情報源は何ですか?」という質問(複数回答可)に対して二〇年八月現在で「テレビ」と答えた回答者は六九%に上る。〇九年の九四%から徐々に低下しているが、それでも約七割が情報源としてテレビを重視している。一方、ネットのSNS(交流サイト)は〇九年の六%が二〇年には三八%に、ネットニュース(ポータルサイトや新聞・雑誌の電子版)は〇九年九%から二〇年三七%とそれぞれ大幅に伸びたが、テレビとの差はまだ大きい。

毎日のようにテレビのニュースを見て政権のプロパガンダを浴びていれば、日常生活で何らかの社会問題に直面しても「大統領は悪くない。悪いのは役人たちだ」という発想になって不思議ではない。事実、私はロシアの地方取材でそうした人たちに出会ってきた。首相を筆頭とする「役人たち」は必要とあらば首のすげ替えが可能な存在である。実際に国民から不人気だったメドヴェージェフは首相の座から事実上更迭された。

二一年一月のデモでは、全国百数十都市で一度に抗議集会が開かれたのが衝撃的だった。ロシアの地方といえば一般的にテレビの影響力が強く保守的で、プーチン支持が強固と考えられてきたからだ。デモが実施された都市には、ロシアがウクライナから奪ったクリミア半島の主要都市も含まれている。一方、カディロフの抑えが強烈に利いているチェチェンの都市は含まれない。

一月二三日のデモに際してモスクワで実施された一部参加者への現場聞き取り調査によると、三五歳以下が回答者の六六%を占めた。デモを支えたSNSが新興の動画共有アプリ「TikTok(ティックトック)」だったことも踏まえると、モスクワ以外の地方でもデモ参加者は若者中心と推測できる。

全国で若者たちがデモに繰り出し、いよいよロシアでもネットの力がテレビを超える時代が来たのだろうか？　そして、反政権デモの支持者は多数派となったのだろうか？　答えは否だ。デモ翌月の二月に公表されたレヴァダ・センターの世論調査結果を見てみよう。「一月の反政権デモ参加者についてどう思うか？」との質問に対して、回答者の三九％が「どちらかと言えば否定的」、三七％が「中立・無関心」と答え、「どちらかと言えば肯定的」と答えたのは二二％に過ぎなかった。

ただ、世代間で違いも表れている。一八～二四歳の若者層では「肯定的」三八％、「否定的」二二％だったのに対し、五五歳以上の層では「肯定的」一六％、「否定的」五三％となり、年齢が高くなるほどデモを支持していない。メディア接触別で言うと、主な情報源をテレビとする層では「肯定的」一四％、「否定的」四八％だったのに対し、ＳＮＳ中心の層では「肯定的」三一％、「否定的」二八％と賛否の比率が逆転する。先に挙げたように現在もロシア国民の約七割がテレビを主なニュース情報源としている現状を考えれば、デモ参加者・賛同者が少数派なのも当然と言えそうだ。

レヴァダの世論調査によると、プーチンの支持率は二一年二月現在で六五％である。テレビを情報源とする層の割合とほぼ一致している。一四年のクリミア編入強行後に八〇％台まで支持率が高騰していたのに比べれば大きく低下したが、底堅い支持が見て取れる。一方、プーチンに「二四年以降も大統領を続投してほしいか」という問いになると、賛否の比率は拮抗してくる。賛成四八％、反対四一％だ。さらなる長期支配の継続には、現在の支持層であっても皆が賛成ではないということだ。さらに一八〜二四歳の若者層では賛成三一％、反対五七％と賛否が逆転し、若い世代ほど政権の長期化に対して厳しい数字が出ている。

メディア利用状況に関しては、政府系の全ロシア世論調査センターが二一年三月に発表した世論調査によると、若年層ほどネットのみの利用者が多く、中年は概ねネットとテレビの両方を利用、高齢者の半数はテレビのみ利用という結果が現れた。利用には娯楽要素も含まれるとみられるが、年代別の色分けが鮮明だ。総合して考えると、プーチン支持＝テレビ視聴＝高齢者、不支持＝ネット利用＝若者という大づかみの傾向が浮かび上がる。

## 「アラブの春」とロシアの違い

ロシアでデモが起きた二一年一月、カイロ支局に駐在する私は中東の民主化要求運動「アラブの春」から一〇年後の状況について取材を続けていた。試みに「アラブの春」当時のエジプトとロシアの現状を比較してみたい。「アラブの春」における各国のデモの中心を担った存在が二〇〜三〇代の若者たちだったことはよく知られている。彼らはＳＮＳを駆使して連帯を強め、巧みな集団行動を展開した。一見するとロシアのデモと似ているが大きな違いがある。それは若い層のボリュームだ。

人口統計学で「中位年齢」という概念がある。年齢別の人口割合でちょうど真ん中となる年齢を指す。一〇年時点のエジプトの中位年齢は二三・七歳という若さだった。人口の半数超が二〇代前半以下の若者や子供だったのである。また、エジプトの当時の失業率は約九％で、失業者の大部分が三〇歳未満という状況にあった。閉塞感と不満を抱える大勢の若者たちが動いたことで、「アラブの春」は大きなうねりとなった。

エジプトに比べるとロシアは若くない社会である。中位年齢は三九・六歳（二〇年推計値）だ。二一年はソ連崩壊から三〇年の節目に当たるが、当時一〇歳前後だった世代がちょうど人口の真ん中の年齢ということになる。ソ連崩壊を肌身で知る世代が成人の大半を占めているのだ。

ソ連崩壊後、エリツィン政権が治めた新生ロシアの九〇年代は自由と混乱がない交ぜになった時代だった。九四年には第一次チェチェン紛争が始まった。オリガルヒが経済を牛耳り、九八年に金融危機が訪れる。国民は不安定な生活を余儀なくされていた。その後、原油価格高騰の助けを借りて再びロシアを強くし、安定に導いたのはプーチンだった。今、多くの若者の目にプーチンの姿は「停滞の象徴」と映っている。だが、九〇年代を知る世代の多数派にとって、その政権を倒すことはロシアが再び不安定の渦にのみ込まれることを意味するに違いない。

カーネギー国際平和財団モスクワセンターの上級研究員、アレクサンドル・バウノフは二一年二月に英字紙『モスクワ・タイムズ』へ寄せた論考で次のように指摘した。〈ロシアの人口は高齢化し、若年層の割合はかなり小さい。ペレストロイカと九〇年代が残した傷は治癒からほど遠い状態にある。これらの人々の大部分は、ソ連の特権的幹部層に対して社会的公正と自由を求め、ロシアの反共主義者と自由主義者が主導した政治運動の後に、普通の市民が職を失い、さらには国をも失ったことを覚えている〉

## 時間との闘い

実のところ、一一年にエジプトでムバラク独裁政権が倒れたのは、若者たちによるデモの力だけではなかった。長期政権を率いた軍出身のムバラクは当時、軍人ではない次男への世襲をもくろんでいた。これを阻止したい軍部はデモの激化に乗じてムバラクに辞任を促し、引導を渡したのである。エジプトの軍は国民からの人気が高く、政治・経済の両面にも力を持つ。国内随一の実力組織に離反されては、さすがの独裁者も権力維持をあきらめざるを得なかった。

ロシアではどうか。プーチンは治安機関、軍、政官財界、マスメディアといった国家の枢要部分を、側近たちを介して掌握している。特に国内治安に関しては、一六年に内務省系の軍事組織と治安部隊を再編して数十万人規模の国家親衛軍を組織した。そのトップには、長年プーチンの警護責任者を務めた側近ヴィクトル・ゾロトフが選ばれている。プーチンはロシアにおける「カラー革命」を恐れ、独裁者が次々倒された「アラブの春」も教訓にしているはずだ。ネット空間や独立メディアに対する規制強化で反体制派を封じようという動きも強めている。

二一年六月、大統領が国民の質問に次々答える恒例のテレビ生番組「プリャマヤ・リニヤ（直通ライン）」で後継者問題について聞かれ、プーチンは次のように答えた。「誰がロシアを率いるべきか、選挙で決めるのはロシア国民です。私が責を負うのは、大統領職を目指す候補者を推薦すること。時が至れば、我らが故国ロシアのような非凡な国家を率いるに値する人物について発言できることでしょう。そう願っています」。その「時」がいつになったら訪れるのかが問題だ。院政の可能性も含めて、さらに長期化するとみられるプーチン政権のロシアは今後どうなっていくのだろうか。

ロシアの人口動態を見ると、少子高齢化の基調が続く。一九年の合計特殊出生率は約一・五で、現状人口を維持できる水準の二・〇七よりはるかに低い。平均寿命は七〇代前半で徐々に延びている。プーチンの岩盤支持層の高齢者は少しずつ減っていくが、反プーチン傾向が強い新世代も一気には増えない構図だ。政権支持率を変動させる世代交代というプーチンにとっての「時間との闘い」は確実に、しかしゆっくり静かに進行している。そこにプーチン自身の高齢化による衰えも重なってくる。

現代のロシアにおいては、「アラブの春」のような政変による政権崩壊の可能性は限りなくゼロに近い。だが、プーチンが年老いていく中でロシア社会の矛盾が高まっていけば、また一枚岩ではない各エリート層の間での対立が深まっていけば、そのときには異なる力学が働くことはあるかもしれない。プーチンが「安定」という錦の御旗を掲げてさらなる停滞を選択したことで、ロシアの将来は不透明さを増している。今後、チェチェンを含むロシア情勢をつぶさにウオッチする必要性がこれまで以上に高まっていくはずだ。プーチン政権内部における暗闘のわずかな気配や、抑え込まれた反プーチン陣営の次の展開、「ガス抜き」の機会さえ奪われつつある市民社会と若い世代の動向は特に注視していきたい。

# あとがき

『少数民族独立要求型の民族紛争に関する研究』。こんな長いタイトルの古びた冊子が手元にある。二〇年前に大学へ提出した私の卒業論文の控えだ。事例としてロシアとチェチェン紛争を扱っているが、当時はロシア語を学んだ経験も無く、将来ロシアに駐在することになるとは想像もしていなかった。時を経てモスクワ特派員となり、ふと気になったのはチェチェンのことだった。二〇一四年に勃発したウクライナ紛争の取材をこなしつつ、ようやくチェチェン現地へ向かったのが一五年夏だった。

日本でもチェチェン紛争を扱った書籍は数多くあるが、紛争後の実態を描いた本はほとんどない。世界のどこかで戦争が起きると日々大量のニュースが流れ、そのときは注目を集める(日本から縁遠いと関心を集めないことも珍しくはない)。だが、戦争が終わった後に現地で何が起きているのかは知られないことが多い。チェチェンについても、ラムザン・カディロフの支配下で何が起きていて、さらに、それがロシア全体にどのような影響を与えているのかを伝える一冊はこれまで無かった。現地取材できた以上、単発の新聞記事だけでなく書籍という形で伝えるのは取材者としての義務だと考えた。

私は前著『ルポ　プーチンの戦争』（筑摩選書、二〇一八年）にて、ウクライナ危機の現場取材を基にロシアの外交・安全保障の有り様を地べたの目線から記録した。本書はチェチェンという特殊な存在を通して主にロシア内政の一端を描いたつもりだ。

現地取材から本書の執筆までには数年の時間を経ているが、逆に、得られたインタビューの意義づけをじっくり考察し、プーチン政権二〇年の節目とその先も見据えてまとめ上げることができたと思う。「プーチンのロシア」や「ポスト・プーチン」を考える上で独自の視座を提供できたのではないかと密かに自負している。とはいえ、現場を飛び回る一記者としては大それた試みであり、事実把握や分析の誤りがあればその責は全て筆者にある。チェチェンやロシア各地で取材に応じてくれた皆さんには改めてお礼を伝えたい。カディロフ本人へのインタビューは数度依頼を試みたが実現しなかったことも明記しておく。

広大なロシアは中央のモスクワだけ見ていても分からない。「ロシアについて理解するには個別のテーマから全体に目を向けていく、ということを、何度も繰り返していくほかないのだと思います」。本書の編集を担当した東洋書店新社の岩田悟さんの言葉だ。岩田さんの叱咤激励と的確なアドバイスが無ければ本書は完成しなかった。また、毎日新聞モスクワ支局や東京外信部の同僚、ロシア生活を共にした家族にもこの場を借りて感謝を伝えたい。

本書は、新型コロナウイルスの世界的感染拡大で史上稀な年となった二〇二〇年の初めに着手し、一年半以上を費やして書き下ろした。時間をかけた分、現在駐在する中東での取材成果や視点も一部盛り込むことができた。ロシアは日本の隣国である。その国で何が起き、どう変容しようとしているのかを探って伝える仕事はこれからも重要だと考えている。引き続き微力を尽くしたい。

二〇二一年夏　エジプト・カイロの自宅にてナイル川を望みつつ

真野森作

## 主要参考・引用文献


◆書籍

青山弘之（二〇一七）『シリア情勢――終わらない人道危機』、岩波新書

ムサー・アフマードフ著、今西昌幸訳（二〇〇九）『チェチェン民族学序説――その倫理、規範、文化、宗教＝ウェズデンゲル』、高文研

植田樹（二〇〇四）『チェチェン大戦争の真実――イスラムのターバンと剣』、日新報道

木村汎／袴田茂樹／山内聡彦（二〇一〇）『現代ロシアを見る眼――「プーチンの十年」の衝撃』、ＮＨＫブックス

小泉悠（二〇一九）『「帝国」ロシアの地政学――「勢力圏」で読むユーラシア戦略』、東京堂出版

酒井啓子（二〇一四）『中東から世界が見える――イラク戦争から「アラブの春」へ』、岩波ジュニア新書

桜井啓子（二〇〇六）『シーア派――台頭するイスラーム少数派』、中公新書

下斗米伸夫編著（二〇一六）『ロシアの歴史を知るための50章』、明石書店

オスネ・セイエルスタッド著、青木玲訳（二〇〇九）『チェチェン　廃墟に生きる戦争孤児たち』、白水社

トルストイ著、中村白葉訳、辻原登／山城むつみ編集（二〇一一）『コザック　ハジ・ムラート』、中央公論新社

ドミートリー・トレーニン著、河東哲夫／湯浅剛／小泉悠訳（二〇一二）『ロシア新戦略――ユーラシアの大変動を読み解く』、作品社

廣瀬陽子（二〇〇八）『コーカサス　国際関係の十字路』、集英社新書

パトリック・ブリュノー／ヴィアチェスラフ・アヴュツキー著、萩谷良訳（二〇〇五）『チェチェン』、白水社・文庫クセジュ

アンナ・ポリトコフスカヤ著、三浦みどり訳（二〇〇四）『チェチェン　やめられない戦争』、日本放送出版協会

山内昌之（一九九五）『瀕死のリヴァイアサン――ロシアのイスラムと民族問題』、講談社学術文庫

山内昌之（一九九八）『イスラームと国際政治――歴史から読む』、岩波新書

山内昌之（二〇〇八）『近代イスラームの挑戦（世界の歴史20）』、中公文庫

山崎雅弘（二〇一六）『新版　中東戦争全史』、朝日文庫

和田春樹編（二〇〇二）『ロシア史（新版世界各国史22）』、山川出版社

Trenin, Dmitri(2018) *WHAT IS RUSSIA UP TO IN THE MIDDLE EAST*, UK: Polity Press

Zygar, Mihail(2015) *Vsya kremleuskaya rat: Kratkaya istoriya souremennoy Rossii*, Russia: Intellektualnaya Literatura

◆論文

富樫耕介（二〇一四）「「コーカサス首長国」と「イスラーム国」――なぜ「チェチェン人」がシリアやイラクで戦っているのか」『中東研究』五二二号

富樫耕介（二〇一八）「マイノリティの掲げる「国家」が変化するとき――カドィロフ体制下におけるチェチェンの現状と課題」『ロシア・東欧研究』四七号

フィオナ・ヒル（二〇一三）「プーチンがシリアを支援する本当の理由――チェチェン紛争とシリア内戦をつなぐスンニ派の脅威」『フォーリン・アフェアーズ・リポート』二〇一三年五月号

真野森作（二〇〇〇）「少数民族独立要求型の民族紛争に関する研究――解決へのパラダイム・シフト要因とは」、一橋大学法学部学士論文

Baunov, Alexander(2020) "The Perils of Perestroika: Why Putin Chose to Prolong His Rule", https://carnegie.ru

Baunov, Alexander(2021) "Why the Kremlin's Anti-Navalny Strategy Just Might Work", https://www.themoscowtimes.com/

Glasser, Susan B.(2019) "Putin the Great: Russia's Imperial Impostor", https://www.foreignaffairs.com/

Stanovaya, Tatiana(2020) "The Putin Regime Cracks", https://carnegie.ru

Hauer, Neil(2017) "WHAT'S BEHIND CHECHNYA'S INCREASING INTERVENTIONISM IN SYRIA?", https://psmag.com

Hauer, Neil(2018) "Russian diplomacy in Syria bolstered by Muslim minority outreach", https://www.mei.edu

Stanovaya, Tatiana(2020) "The Taming of the Elite: Putin's Referendum", https://carnegie.ru

Sturdee, Nick and Mairbek Vatchagaev(2020) "ISIS in the North Caucasus", https://cgpolicy.org

Waller, Nicholas(2015) "A Chechen War by Proxy: Two Old Rivals Fight on-In Ukraine", FOREIGN AFFAIRS, April 2015

※その他に毎日新聞、ラヂオプレス、ロシア各メディアの報道、ロシア大統領府ホームページなどを参照。

［著者］
**真野森作**（まの・しんさく）
1979年、東京都生まれ。一橋大学法学部卒業。2001年、毎日新聞入社。
北海道報道部、東京社会部、外信部、ロシア留学を経て、13〜17年にモスクワ特派員。
大阪経済部記者などを経て、20年4月からカイロ特派員として中東・北アフリカを担当。
単著に『ルポ　プーチンの戦争――「皇帝」はなぜウクライナを狙ったのか』（筑摩選書、2018年）がある。

**ポスト・プーチン論序説　「チェチェン化」するロシア**

著　　者　　真野森作

2021年9月1日　初版第1刷発行

発 行 人　　揖斐 憲
発　　行　　東洋書店新社
〒150-0043 東京都渋谷区道玄坂1-22-7 道玄坂ピアビル4階
電話 03-6416-0170　FAX 03-3461-7141

発　　売　　垣内出版株式会社
〒158-0098 東京都世田谷区上用賀6-16-17
電話 03-3428-7623　FAX 03-3428-7625

装　　丁　　伊藤拓希（cyzo inc.）
印刷・製本　中央精版印刷株式会社

落丁・乱丁本の際はお取り替えいたします。定価はカバーに表示してあります。


ISBN978-4-7734-2043-2